초등학생을 위한
표준 한국어

국립국어원 기획 | 이병규 외 집필

저학년
의사소통 1

마리북스

초등학생을 위한

표준 한국어

저학년

의사소통 1

초등학생을 위한
표준 한국어

국립국어원 기획 | 이병규 외 집필

저학년
의사소통 **1**

마리북

발간사

다문화가정 학생 수는 매년 증가하여 2018년 12만여 명에 이릅니다. 그런데 중도입국자녀나 외국인 가정 자녀와 같은 다문화 학생들은 학령기 학생에게 기대되는 한국어 능력 수준에 이르지 못하는 경우가 많습니다. 이는 다문화 학생이 교과 학습 능력을 갖추지 못하거나 또래 집단 문화에 적응하지 못하는 결과로 이어지고, 결국 한국 사회에 안정적으로 정착하는 데 어려움을 겪는 주요한 원인이 됩니다. 따라서 다문화 학생을 위한 교육 지원은 보다 전문적이고 체계적으로 이루어져야 합니다.

학령기 한국어 학습자를 위한 정부 지원은 교육부에서 2012년에 '한국어 교육과정'을 개발하여 고시하였고, 국립국어원에서 교육과정을 반영한 학교급별 교재를 개발하면서 본격적으로 이루어 졌습니다. 그 후 '한국어 교육과정'이 개정·고시(교육부 고시 제2017-131호)되었습니다. 이에 국립국어원에서는 2017년부터 개정된 교육과정에 따라 한국어 교재를 개발하고 있으며, 그 첫 번째 결과물로 초등학교 교재 11권, 중고등학교 교재 6권을 출판하게 되었습니다. 교사용 지도서는 별도로 출판은 하지 않지만, 국립국어원 한국어교수학습샘터에 게시해 현장 교사들이 무료로 이용 할 수 있게 하였습니다.

이번 교재 개발에는 언어학 및 교육학 전문가가 집필자로 참여하여 한국어 교육의 전문적 내용을 쉽고 친근하게 구성하기 위해 노력하였습니다. 특히 이 교재는 언어 능력 향상뿐만 아니라 서로 다른 문화를 이해하여, 한국 사회 구성원으로서 정체성을 확립하는 데 도움이 되도록 개발하였습니다.

아무쪼록 《초등학생을 위한 표준 한국어》 교재가 다문화가정 학생들이 한국어를 쉽고 재미있게 배워서 한국 사회에서 자신의 꿈을 키워 나가는 데 도움을 줄 수 있기를 바랍니다.

끝으로 이 교재의 개발을 위해 최선의 노력을 기울여 주신 교재 개발진과 출판사에 깊은 감사의 말씀을 드립니다.

2019년 2월
국립국어원장 소강춘

머리말

2012년 '한국어(KSL) 교육과정'이 고시되면서 초등 및 중등 학습자를 위한 한국어(KSL) 교육은 공교육의 체제 속에서 전개되어 왔습니다. 모어 배경과 문화, 생활 경험과 언어적 환경 등에서 매우 다양한 한국어(KSL) 학습자들은 '한국어(KSL) 교육과정'이 적용된《표준 한국어》교재를 배워 왔고 일상생활과 학교생활에 필요한 한국어 능력을 길러 왔습니다. 이제 학교에서의 한국어(KSL) 교육은 새로운 도약을 목전에 두고 있다고 할 수 있습니다. 지난 2017년에 '한국어(KSL) 교육과정'이 개정되면서, 개정 교육과정이 적용된 새로운 교재 11권이 세상에 빛을 보게 되었기 때문입니다.

새로 발행되는《초등학생을 위한 표준 한국어》교재 편찬에서는 두 가지 원칙을 분명히 하고 있습니다. 첫째, 개정된 교육과정의 관점과 내용 체계, 교재 개발을 위한 기초 연구의 성과 등을 충실하게 반영하는 것입니다. 〈의사소통 한국어〉 교재와 〈학습 도구 한국어〉 교재를 분권하는 것이나 학령의 특수성을 고려한 저학년용, 고학년용 교재의 구분 등은 이러한 맥락에서 실행되었습니다. 또한 교육과정에서 제시한 언어 재료는 주요한 내용 설정의 준거가 되었습니다. 더불어 '내용 모듈화'의 방안을 살려 학습자의 특성과 교육 현장의 필요에 적합한 내용 선택 및 재구성이 가능하도록 하였습니다.

둘째, 초등학생 한국어(KSL) 학습자와 교육 현장을 충분히 이해하고 고려하는 것입니다. 이를 위해 연구 집필진은 초등학생 한국어(KSL) 학습자의 언어 환경, 한국어 학습의 조건과 요구 등을 파악하는 데에 많은 노력을 기울였습니다. 초등학생 학습자의 일상, 학교생활, 교과 수업의 장면을 주제화하고 이러한 주제를 중심으로 필수 어휘와 문법, 표현을 재선정하였습니다. 초등학생들에게 적합한 이미지 중심의 내용 제시, 놀이 활동의 강화, 한글 교육 내용의 특화 등도 강조하였습니다.

개정《초등학생을 위한 표준 한국어》교재의 편찬을 위해 많은 관심과 지원을 아끼지 않은 국립 국어원 소강춘 원장님을 비롯한 관계자 여러분께 감사드립니다. 고된 작업 일정과 어려운 여건 속에서도 진심과 열정으로 임해 주셨던 연구 집필진 선생님들께, 그리고 마리북스 출판사에도 깊은 감사의 마음을 전합니다.

언어는 사람의 삶, 그 자체입니다. 초등학생 학습자들이 이 책을 가지고 한국어를 배우는 것으로 삶의 큰 기쁨과 힘을 얻기를 바랍니다. 새로운 세상을 열고 새로운 존재로서의 자신을 단단히 깨닫게 되기를 바라는 마음입니다.

2019년 2월
연구 책임자 이병규

일러두기

〈의사소통 한국어 1〉 저학년 교재는 한국어를 처음 배우기 시작하는 초등학교 1~2학년 학생들이 일상생활과 학교생활을 하는 데 필요한 한국어 능력을 기를 수 있도록 개발되었습니다. 한글을 비롯하여, 일상생활과 학교생활에서 자주 쓰는 한국어 어휘와 문법, 표현을 배울 수 있도록 하였고, 듣고 말하고 읽고 쓰는 문식 활동을 충분히 경험하도록 하였습니다. 이 교재는 한글을 학습할 수 있는 예비 단원과 본격적인 학습을 위한 8단원으로 구성되어 있습니다. 본 단원은 총 10차시로, 1~6차시는 의사소통 능력을 키우기 위하여 반드시 기본적으로 배워야 하는 기능과 지식이 포함되어 있는 필수 차시이고, 7~10차시는 필수 차시 학습 내용을 다양한 말이나 글의 유형에 통합하여 심화 학습 할 수 있는 선택 차시로 구성하였습니다.

 해당 차시 목표 어휘　　 해당 차시 목표 문법　　 듣기 자료

이 책의 구성

단원	주제	기능	문법	어휘	문화	담화 유형
예비	한글	•모음자와 자음자 익히기 •모음자와 자음자의 결합 익히기 •받침 있는 글자 읽고 쓰기	모음자, 자음자, 받침과 그 소리, 소리이음(연음)			
1	나	•인사하기 •자기소개하기	이에요, 에서 왔어요, 입니다, 은	인사말, 나라 이름, 학년, 반, 한자어 숫자 ①	인사 표현 인사 예절	대화 인사말 소개문
2	내 물건	•물건 이름 말하기 •물건의 소유 여부 말하기 •물건의 개수 말하기	뭐, 누구, 몇, 이 아니에요	교실 물건, 학용품, 이것/그것/저것, 단위 명사, 고유어 숫자 ①	두 손으로 물건 받기	대화 메모
3	우리 학교	•위치 말하기 •존재 말하기 •동작 표현하기 •교내 시설 찾기	이 있어요/없어요, 에 있어요, 어디, –어요, 도	교실 이름, 위치 표현, 동사 ①	복도에서 주의할 일	대화 간단한 설명문
4	우리 동네	•학교 주변 소개하기 •동작 표현하기 •명령하기 •금지하기	을, 에 가요/와요, –으세요, –지 마세요	가게 이름, 교통 관련 어휘, 동사 ②, 색깔 어휘	교통 표지판 이용하기	대화 동시
5	학교생활	•교실 활동 말하기 •방향 표현하기 •반말하기	–어 ①, 이야, 으로, 에서, –으러 가다	동사 ③, 학교 시설, 방향 표현, 놀이 활동 어휘	한국의 전통 놀이	대화 편지 동화
6	하루 일과	•시간과 날짜 말하기 •요일 말하기 •과목 말하기 •부정 표현하기	하고, 에, 안	방과 후 교실(취미 관련) 표현, 시간 표현 ①, 고유어 숫자 ②, 한자어 숫자 ②, 과목 이름	수업 예절	대화 일기
7	놀이와 운동	•과거 말하기 •가능한 것 표현하기	–었어요, –을 수 있어요/없어요, 못	시간 표현 ②, 놀이 장소, 놀이 및 운동 어휘	박물관 관람 예절	대화 안내문 일기
8	바른 생활	•원하는 것 표현하기 •반말하기(명령) •계획 표현하기 •격식체 말하기	–고 싶어요, –어 ②, –지 마, –습니다, –겠습니다	음식 어휘, 급식 표현, 생활 어휘	급식 예절	대화 일기

단원 구성과 교재 활용 방법

· 단원 구성

선택 차시의
학습 주제 목록입니다.

선택
7 연극하기
8 이야기 읽기
9 놀이하기
10 생각 넓히기

필수 차시의
학습 주제 목록입니다.

이 집은 필수 차시와
선택 차시로 완성됩니다.

필수
1 시간 표현 2
2 놀이 장소
3 놀이와 운동 1
4 놀이와 운동 2
5 할 수 있는 일
6 할 수 있는 일 발표하기

· 교재 활용

도입

단원 번호와 단원명

단원의 주제를 제목으로
제시하였습니다.

7
놀이터에서
자전거 탔어

학습 목표
· 지난 일을 표현할 수 있다.
· 할 수 있는 것을
표현할 수 있다.

학습 목표

단원의 학습 목표를
제시하였습니다.

도입 질문

단원 학습 주제와 관련된
단원 도입 질문 두 가지를
제시하였습니다.

도입 장면

단원 주제와 관련되어 있으며
학생들의 일상생활과 연계한
장면을 제시하였습니다.

· 어제 놀이터에 갔어요?
· 저밍이 뭐 해요?

차시 번호와 차시 제목

해당 차시의 주제를 제목으로
제시하였습니다.

듣기 자료

학습 대상 어휘나 문법의
도입, 대화, 읽기 자료가
녹음되어 있습니다.

제시 활동

해당 차시에 도입되는
학습 대상 어휘나 문법을
그림, 낱말, 대화, 글 등의
형식으로 제시하였습니다.

장면

학생들의 실제적인
언어 상황이 드러나도록
언어 활동 장면을
구성하였습니다.

글자 색깔

학습 대상 문법이
드러나도록 빨간색
글자로 표시하였습니다.

---

③ 놀이와 운동 1

1. 들어 봅시다.

1) 들어 보세요. 🔊 161

자전거 탈 수 있어?

네, 탈 수 있어요.

① 자전거 타다

2. 연습해 봅시다.

1) 들어 보세요. 골라 보세요. 🔊 163

① 　②

☑ 성우는 그네를 탈 수 있어요.　　☐ 아비가일은 줄넘기를 할 수 있어요.

☐ 성우는 그네를 탈 수 없어요.　　☐ 아비가일은 줄넘기를 할 수 없어요.

218 · 의사소통 한국어 1

목표 어휘와 목표 문법

학습 대상 어휘나 문법을 확인할
수 있습니다.

자전거 타다, 그네 타다,
미끄럼틀 타다, 시소 타다,
줄넘기하다, 훌라후프하다

–을 수 있어요/없어요

④ 시소 타다

2) 들어 보세요. 따라 해 보세요. 🔘162

② 그네 타다

③ 미끄럼틀 타다

⑤ 줄넘기하다

⑥ 훌라후프하다

연습 활동

학습 대상 어휘나 문법을
장면, 그림, 게임 등을 통해
공부합니다. 익힘책이
활용됩니다.

2) 들어 보세요. O, X표 해 보세요. 🔘164

① 저밍은 자전거를 탈 수 있어요.　　　　(　　O　　)
② 아이다는 미끄럼틀을 탈 수 없어요.　　(　　　　)
③ 요우타는 시소를 탈 수 있어요.　　　　(　　　　)
④ 리암은 훌라후프를 할 수 있어요.　　　(　　　　)

3. 1의 그림을 보고 친구들과 함께 이야기해 봅시다.

적용 활동

학습한 내용을 일상생활에
적용하고 실천하며
내면화합니다. 익힘책이
활용됩니다.

훌라후프할 수 있어?

어, 할 수 있어.
너는?

친구　　　나

7. 놀이터에서 자전거 탔어 • 219

차시 제목
선택 차시의 제목은 말이나
글의 유형과 언어 기능을
통합하여 제시합니다.

차시 번호
7~10은 선택 차시를
나타냅니다.

학습 전개
학습 내용에 따라
읽기 전 – 읽기 중 – 읽기 후
말하기 전 – 말하기 중 – 말하기 후 등
다양한 전개 방식으로 학습합니다.

언어 활동
동화 읽기, 노래하기, 놀이하기, 연극하기,
퍼즐 맞추기 등 다양한 유형의 활동을 통해
필수 차시에서 배운 어휘와 문법을
언어 기능과 함께 심화 학습을 합니다.

심화 학습 활동

선택 차시는 차시별로 말하기, 듣기, 쓰기, 읽기 심화 활동으로 구성하였습니다. 필수 차시에서 학습한 내용을 최대한 활용하여 다양하고 흥미로운 활동을 해 봄으로써 유창성을 향상시키고 더불어 자신감도 키울 수 있도록 하였습니다.

놀이를 통한 학습 활동

초등 학습자의 흥미를 높이면서도 학습 효과가 높은 말판 놀이, 십자풀이, 퍼즐 등을 통해 복습, 심화 학습을 합니다.

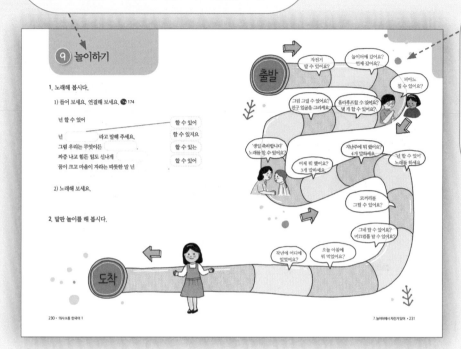

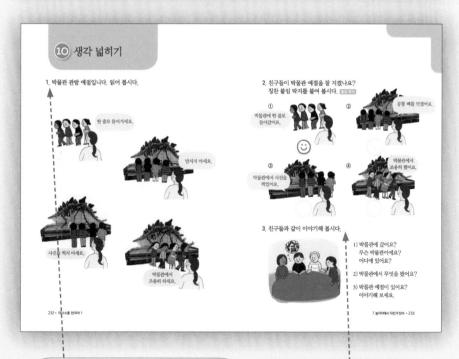

문화 학습

전통문화, 생활 문화, 문화 비교, 안전 등 초등학생들이 접할 수 있는 다양한 문화 요소를 다룹니다.

문화 의식

다양한 문화를 존중하는 상호 문화적 관점에서 문화를 학습합니다.

성우
한국

지민
한국

저밍
중국

하미
베트남

요우타
일본

아비가일
필리핀

리암
미국

아이다
키르기스스탄

빈센트
케냐

촘푸
태국

자르갈
몽골

김세현 선생님

박혜연 선생님

이 책의 특징

2017 개정 교육과정에 따른《초등학생을 위한 표준 한국어》의 특징은 다음과 같습니다.

첫째, 한국어 능력이 없거나 현저히 부족한 학생이 대상이며, 다양한 수준의 학습자를 고려하여 교재를 모듈화하였습니다. 이 책은 크게 일상생활과 학교생활 적응을 위한 〈의사소통 한국어〉와 교과 학습 적응을 위한 〈학습 도구 한국어〉로 분권하였습니다. 〈의사소통 한국어〉는 저학년용 네 권, 고학년용 네 권으로 1권과 2권은 초급, 3권과 4권은 중급에 해당합니다. 각 권은 목표 어휘와 목표 문법 학습을 위한 필수 차시, 다양한 담화 유형과 듣기·말하기·읽기·쓰기 활동에 통합하여 반복·심화 학습이 이루어지도록 구성한 선택 차시로 구성되었습니다. 〈학습 도구 한국어〉는 교과 학습 적응을 지원할 수 있도록, 초등학교 교육과정의 학년군별 위계화에 따라 1~2학년군용, 3~4학년군용, 5~6학년군용 모두 세 권으로 분권하였습니다. 3권, 4권 학습자 중 학습 이해도가 빨라 선택 차시의 학습이 불필요한 경우에는 〈학습 도구 한국어〉의 해당 단원을 선택하여 학습할 수 있습니다.

둘째, 대상 학습자의 인지 발달 수준과 언어 경험 수준을 고려하여 교수요목을 재정비하였습니다. 학습자 개인에서 주변·사회로, 구체적인 경험에서 추상적인 경험으로 학습 주제와 내용을 확장하였고, 그와 관련된 핵심 어휘와 문법을 선정하여 교수·학습 내용으로 제시하였습니다.

셋째, 초등 학습 단계가 구체적 조작기임을 고려하여, 목표 어휘와 목표 문법을 추상적인 언어로 설명하는 방식이 아니라, 구체적이고 실제적인 한국어 활동의 장면을 이미지화하여 이를 통하여 교수·학습함으로써 쉽게 익힐 수 있도록 하였습니다.

넷째, 게임·노래·놀이·퍼즐 맞추기·역할극하기·만화 보기 등 초등학생들의 흥미를 유발할 수 있는 다양한 학습 장치를 활용하여 활동을 구성하였습니다.

다섯째, 필수 차시에서는 목표 어휘와 목표 문법을 듣기·말하기·읽기·쓰기 활동과 통합하여 총체적이고 실제적인 의사소통 능력을 기를 수 있도록 구성하였고, 선택 차시에서는 듣기·말하기·읽기·쓰기 활동이 통합된 특정 담화의 유형 속에서 목표 어휘와 목표 문법을 반복·심화 학습하여 담화의 생산과 수용 능력을 기를 수 있도록 하였습니다.

여섯째, 매 차시 학습 전개 순서를, 학습 내용 확인을 위한 '제시 활동 단계', 확인한 학습 내용을 연습할 수 있는 '연습 활동 단계', 연습한 학습 내용을 일상생활에 적용하고 실천하여 내면화할 수 있는 '적용 활동 단계'로 나누어 구성하였습니다.

일곱째, 〈학습 도구 한국어〉는 수업 장면에서 반복되는 교실 어휘와 각 학년군의 국어·수학·사회·과학 교과서에 반복해서 등장하는 사고 도구 어휘·범용 지식 어휘를 학습 내용으로 선정하고, 그 어휘가 등장하는 수업 장면과 교과서를 활용하여 교수·학습 자료로 구성하였습니다.

여덟째, 〈의사소통 한국어〉나 〈학습 도구 한국어〉에서 연습 활동이 충분히 이루어지지 못한 경우는《초등학생을 위한 표준 한국어 익힘책》에서 보충할 수 있도록 연계하였습니다.

한글의 자음자와 모음자

학습 목표
- 모음자의 소리를 읽고 쓸 수 있다.
- 자음자의 소리를 읽고 쓸 수 있다.
- 받침이 있는 글자를 읽고 쓸 수 있다.
- 짧은 이야기를 읽을 수 있다.

1 ㅏ, ㅓ

1. ㅏ, ㅓ를 알아봅시다.

$$나 = ㄴ + 아$$

$$너 = ㄴ + 어$$

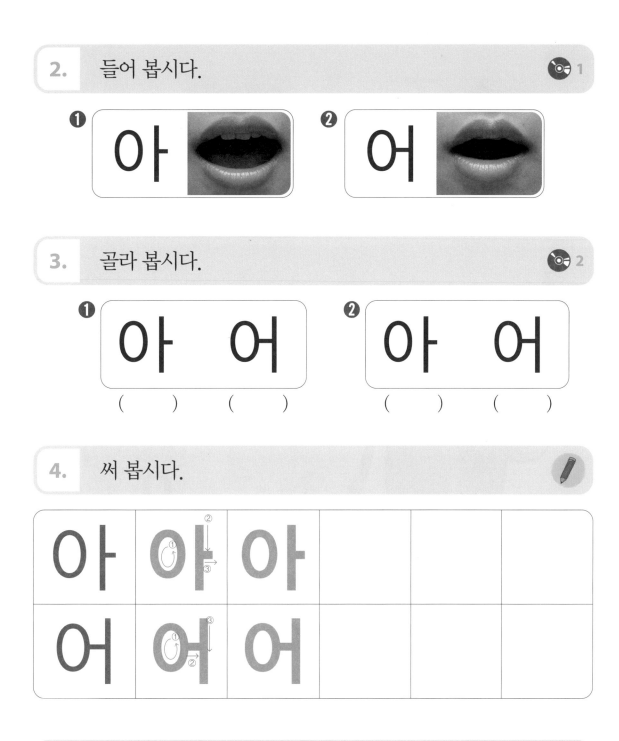

3. 골라 봅시다.

① 아　　어
(　　)　(　　)

② 아　　어
(　　)　(　　)

4. 써 봅시다.

아	아	아			
어	어	어			

5. 몸으로 표현해 봅시다.

2 ㅗ, ㅜ

1. ㅗ, ㅜ를 알아봅시다.

소

수

2 8
1   9
5
4 7
3   0
6

소 = ㅅ + 오

수 = ㅅ + 우

2. 들어 봅시다. 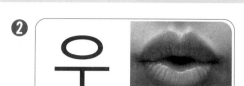 3

① 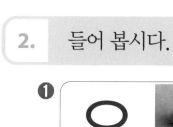오

② 우

3. 골라 봅시다. 4

① 오 우
( ) ( )

② 우 아
( ) ( )

4. 써 봅시다.

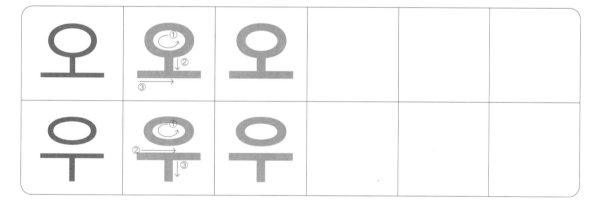

5. 몸으로 표현해 봅시다.

오

우

3 ㅡ, ㅣ

1. ㅡ, ㅣ를 알아봅시다.

비 = ㅂ + 이

버스 = 버ㅅ + 으

❶ 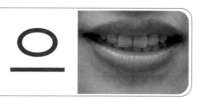   ❷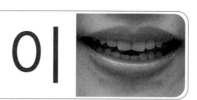

3. 골라 봅시다. 6

❶ 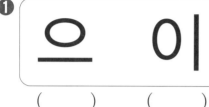   ❷

     (   )   (   )   (   )   (   )

4. 써 봅시다.

5. 몸으로 표현해 봅시다.

ㅐ, ㅔ

1. ㅐ, ㅔ를 알아봅시다.

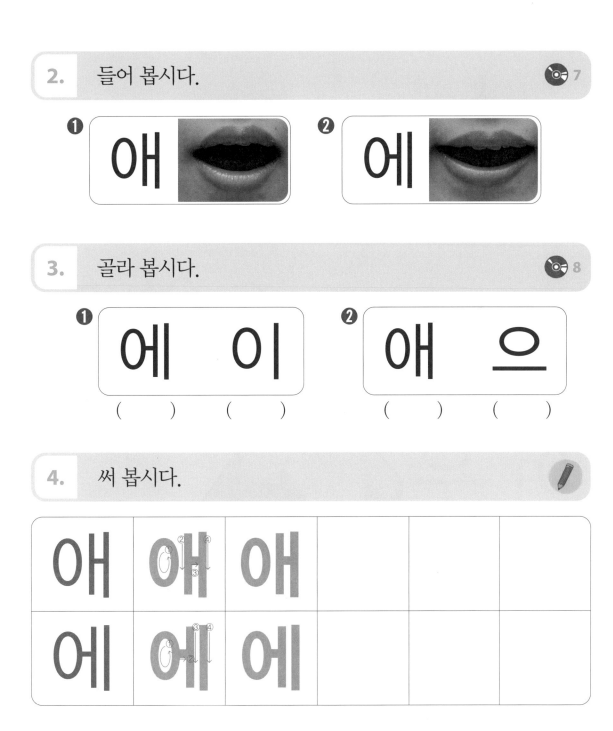

2. 들어 봅시다. 💿 7

① 애

② 에

3. 골라 봅시다. 💿 8

① 에 이
( ) ( )

② 애 으
( ) ( )

4. 써 봅시다. ✏️

애	애	애			
에	에	에			

5. ㅔ와 ㅐ를 찾아봅시다.

민들레 개나리 메추라기 그네 개구리

벌레 매미 해바라기 개미 모래

5 ㅑ, ㅕ

1. ㅑ, ㅕ를 알아봅시다.

야호

여우

야호 = ㅇ 야 + 호

여우 = ㅇ 여 + 우

2. 들어 봅시다. 9

❶ 이 + 아 → 야

❷ 이 + 어 → 여

3. 골라 봅시다. 10

❶ 이 여
( ) ( )

❷ 아 야
( ) ( )

❸ 어 여
( ) ( )

4. 써 봅시다.

야	야	야			
여	여	여			

5. 몸으로 표현해 봅시다.

ㅛ, ㅠ

1. ㅛ, ㅠ를 알아봅시다.

요 리

우 유

요리 → ㅇ 요 + 리

우유 → 우 + ㅇ 유

2. 들어 봅시다. 11

❶ 이 + 오 → 요

❷ 이 + 우 → 유

3. 골라 봅시다. 12

❶ 오 요
( ) ( )

❷ 우 유
( ) ( )

❸ 이 요
( ) ( )

4. 써 봅시다.

요	요	요			
유	유	유			

5. 몸으로 표현해 봅시다.

7 낱말

1. 들어 봅시다.

오

5

아이

이

오이

요요

여우

우유

5

우	유	우	유		
아	이	아	이		
오	오			이	이
여	우	여	우		
오	이	오	이		
요	요	요	요		

3. 듣고 써 봅시다. 💿 14 ✏️

❶ | | |

❷ | | |

❸ | | |

❹ | | |

❺ | | |

❻ | | |

4. 선생님께서 들려주시는 글자를 만들어 봅시다. **부록** 자모 카드

ㄱ, ㅋ

1. ㄱ, ㅋ을 알아봅시다.

거미

커피

구두

키

코

ㄱ   ㄱ + ㅡ = ㅋ

2. 들어 봅시다. 15

❶ 가   ❷ 카

3. 읽어 봅시다. 부록 모음 막대

ㄱ   ㅋ

4. 써 봅시다.

가	가	가			
카	카	카			
고	고	고			

5. 선생님께서 들려주시는 글자를 만들어 봅시다. 부록 자모 카드

9 ㄴ, ㄷ, ㅌ

ㄴ, ㄷ, ㅌ을 알아봅시다.

나비

토마토

포도

나무

토끼

ㄴ

ㄴ + ㄷ = ㄷ

ㄷ + ㅌ = ㅌ

들어 봅시다. 16

❶ 나 ❷ 다 ❸ 타

3. 읽어 봅시다. 부록 모음 막대

ㄴ ㄷ ㅌ

4. 써 봅시다.

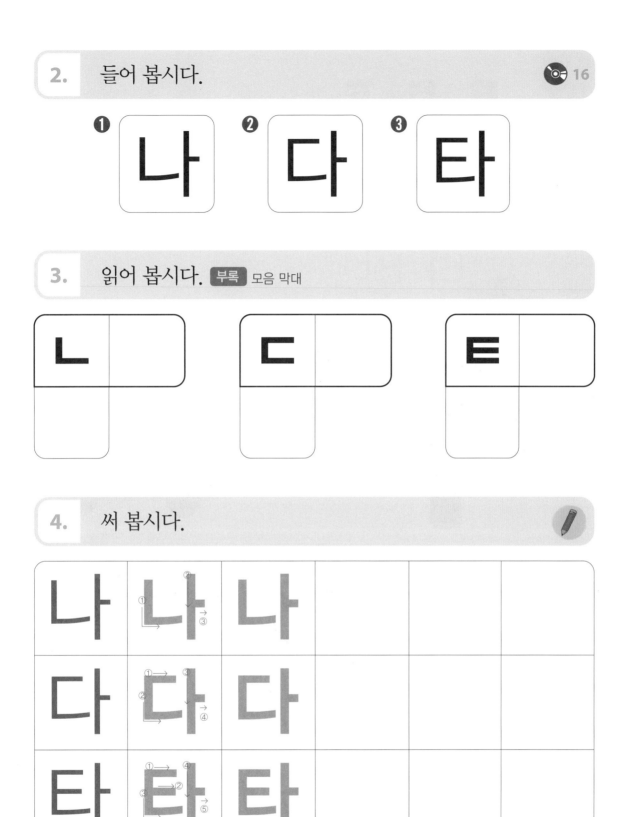

5. 선생님께서 들려주시는 글자를 만들어 봅시다. 부록 자모 카드

10 ㅁ, ㅂ, ㅍ

1. ㅁ, ㅂ, ㅍ을 알아봅시다.

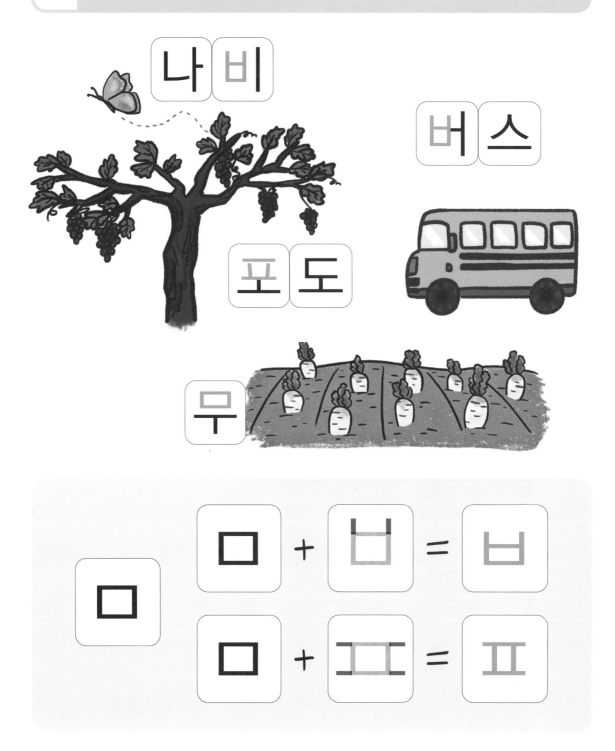

나비

버스

포도

무

ㅁ

ㅁ + ㅂ = ㅂ

ㅁ + ㅍ = ㅍ

2. 들어 봅시다. 🔘 17

❶ 마 ❷ 바 ❸ 파

3. 읽어 봅시다. 부록 모음 막대

ㅁ ㅂ ㅍ

4. 써 봅시다. ✏️

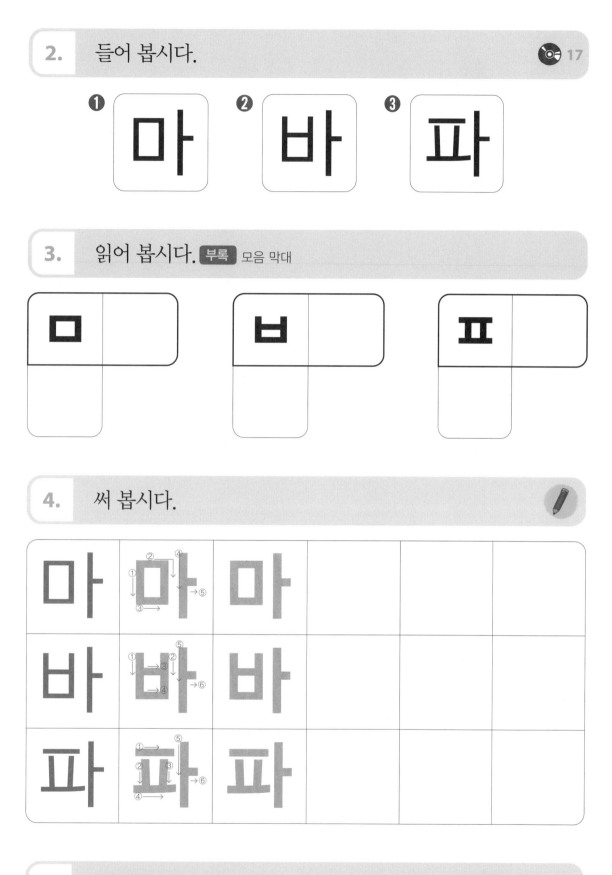

5. 선생님께서 들려주시는 글자를 만들어 봅시다. 부록 자모 카드

11 ㅅ

1. ㅅ을 알아봅시다.

소

시소

사 버스

시소 = ㅅ+이 ㅅ+오

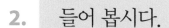

2. 들어 봅시다.

❶ 사   ❷ 소   ❸ 시

3. 읽어 봅시다. 부록 모음 막대

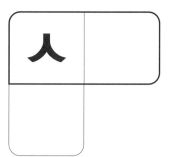

4. 써 봅시다.

사	사	사			
소	소	소			
시	시	시			

5. 선생님께서 들려주시는 글자를 만들어 봅시다. 부록 자모 카드

12 ㅈ, ㅊ

1. ㅈ, ㅊ을 알아봅시다.

모자

바지 치마

ㅈ　ㅈ + ㅊ = ㅊ

2. 들어 봅시다. 19

❶ 자 ❷ 차

3. 읽어 봅시다. 부록 모음 막대

ㅈ

ㅊ

4. 써 봅시다.

자	자	자			
차	차	차			
초	초	초			

5. 선생님께서 들려주시는 글자를 만들어 봅시다. 부록 자모 카드

ㄹ

1. ㄹ을 알아봅시다.

오리

다리

도로

오리 = 오 ㄹ + 이

2. 들어 봅시다. 20

 ❶    ❷    ❸

3. 읽어 봅시다. 부록 모음 막대

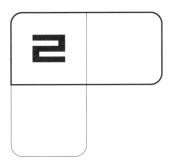

4. 써 봅시다.

5. 선생님께서 들려주시는 글자를 만들어 봅시다. 부록 자모 카드

14

ㅎ

1. ㅎ을 알아봅시다.

해

하마

호수 혀

호 수 = ㅎ + 오 수

2. 들어 봅시다. 21

❶ 하 ❷ 호 ❸ 해

3. 읽어 봅시다. 부록 모음 막대

4. 써 봅시다.

하	하	하			
호	호	호			
해	해	해			

5. 선생님께서 들려주시는 글자를 만들어 봅시다. 부록 자모 카드

15 ㄲ, ㄸ, ㅃ, ㅆ, ㅉ

1. ㄲ, ㄸ, ㅃ, ㅆ, ㅉ을 알아봅시다.

아빠 = 아 ㅃ + 아

머리띠 = 머리 ㄸ + 이

까치 = ㄲ + 아 치

찌 = ㅉ + 이   씨 = ㅆ + 이

46 • 의사소통 한국어 1

가	까	다	따	바	빠
	사	싸	자	짜	

3. 읽어 봅시다. 부록 모음 막대

ㄲ		ㄸ		ㅃ	

ㅆ		ㅉ	

4. 써 봅시다.

빠	빠	빠			
쓰	쓰	쓰			

16 받침 ㅁ

1. 받침 ㅁ을 알아봅시다.

봄

곰

감 엄마

가 + ㅁ = 감

고 + ㅁ = 곰

2. 들어 봅시다.

❶ 사 삼
❷ 고 곰
❸ 보 봄

3. 골라 봅시다.

❶ 소 솜
( ) ( )

❷ 가 감
( ) ( )

❸ 공 곰
( ) ( )

❹ 성 섬
( ) ( )

4. 읽어 봅시다. 부록 받침ㅁ 막대

받침 ㅁ	가	마	바	서	자	차
	타	저	커	이	바	지

5. 선생님께서 들려주시는 글자를 만들어 봅시다. 부록 자모 카드

17 받침 ㅇ

1. 받침 ㅇ을 알아봅시다.

콩 창 벼ㅇ 강

차 + ㅇ = 창

코 + ㅇ = 콩

2. 들어 봅시다. 25

❶
차	창

❷
코	콩

3. 골라 봅시다. 26

❶
가	강
( )	( )

❷
공	방
( )	( )

❸
구	궁
( )	( )

❹
사	상
( )	( )

4. 읽어 봅시다. 부록 받침 ㅇ 막대

받침 ㅇ	가	마	바	서	자	차
	고	구	조	타	쿠	보

5. 선생님께서 들려주시는 글자를 만들어 봅시다. 부록 자모 카드

18 받침 ㄴ, ㄹ

1. 받침 ㄴ, ㄹ을 알아봅시다.

달 별 산 손 논 발 돌

다 + ㄹ = 달

소 + ㄴ = 손

2. 들어 봅시다.

❶ 사 산 살
❷ 소 손 솔
❸ 도 돈 돌

3. 골라 봅시다.

❶ 누 눈
( ) ( )

❷ 상 산
( ) ( )

❸ 밤 발
( ) ( )

❹ 돈 말
( ) ( )

4. 읽어 봅시다. `부록` 받침ㄴ, ㄹ, 막대

받침 ㄴ	사	여	피	서	노	도
받침 ㄹ	기	마	아	시	다	벼

5. 선생님께서 들려주시는 글자를 만들어 봅시다. `부록` 자모 카드

19

받침 ㅂ, ㅍ

1. 받침 ㅂ, ㅍ을 알아봅시다.

잎

집

숲

컵

지 + ㅂ = 집

수 + ㅍ = 숲

2. 들어 봅시다. 29

① ②

사	삽	삾
지	집	짚

3. 골라 봅시다. 30

① 징　　집
（　　）（　　）

② 밥　　방
（　　）（　　）

③ 잎　　이
（　　）（　　）

④ 숲　　숭
（　　）（　　）

4. 읽어 봅시다. 부록 받침ㅂ, ㅍ 막대

받침 ㅂ	바	커	사	지	이
받침 ㅍ	수	여	이		

5. 선생님께서 들려주시는 글자를 만들어 봅시다. 부록 자모 카드

받침 ㄱ, ㄲ, ㅋ

1. 받침 ㄱ, ㄲ, ㅋ을 알아봅시다.

주 + ㄱ → 죽

바 + ㄲ → 밖

부어 + ㅋ → 부엌

2. 들어 봅시다. 🔘 31

❶ 야 양 약

❷ 벼 별 벽

❸ 고 곰 곡

❹ 창밖

❺ 부엌

3. 골라 봅시다. 🔘 32

❶ 수 숙
( ) ( )

❷ 방 밖
( ) ( )

❸ 업 억
( ) ( )

❹ 가 각
( ) ( )

4. 읽어 봅시다. 부록 받침ㄱ, (ㄲ, ㅋ) 막대

받침 ㄱ (ㄲ, ㅋ)	바	하	구	무	보	터

5. 선생님께서 들려주시는 글자를 만들어 봅시다. 부록 자모 카드

21 받침 ㄷ,ㅅ,ㅆ,ㅈ,ㅊ,ㅌ,ㅎ

1. 받침 ㄷ, ㅅ, ㅆ, ㅈ, ㅊ, ㅌ, ㅎ을 알아봅시다.

낮

빛

옷

밭

나 + ㅈ = 낮

오 + ㅅ = 옷

❶	비	빗	빚	빛
❷	마	맛	맞	맡
❸	나	낫	낮	낯

❶ 오   옷
( )   ( )

❷ 유   윷
( )   ( )

❸ 정   젖
( )   ( )

❹ 솥   솔
( )   ( )

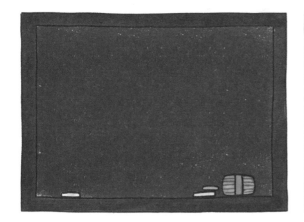

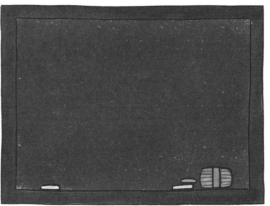

22 겹받침

1. 겹받침을 알아봅시다.

$$다 + 리 = 닭 \qquad 마 + ㄴㅎ = 많$$

$$어 + ㅄ = 없 \qquad 너 + ㄹㅂ = 넓$$

❶ 읽다　❷ 닭　❸ 흙　❹ 넓다

❺ 많다　❻ 싫다　❼ 앉다　❽ 없다

3. 써 봅시다.

읽다	읽다	읽다			
넓다	넓다	넓다			
많다	많다	많다			
싫다	싫다	싫다			
앉다	앉다	앉다			
없다	없다	없다			

23

ㅒ, ㅖ

1. ㅒ, ㅖ를 알아봅시다.

시계

계단

얘기

얘기 → ㅇ 얘 + 기

계단 → ㄱ 에 + 단

2. 들어 봅시다. 36

❶ | 이 + 애 | → | 얘 |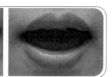

❷ | 이 + 에 | → | 예 |

3. 골라 봅시다. 37

❶ 이 얘
( ) ( )

❷ 이 예
( ) ( )

❸ 예 어
( ) ( )

❹ 얘 야
( ) ( )

4. 써 봅시다.

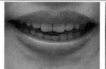		
ㄱ	걔	
ㅇ	얘	

ㄱ	계	
ㅅ	셰	
ㅇ	예	

24

ㅘ, ㅝ

1. ㅘ, ㅝ를 알아봅시다.

원숭이

타워

동물원

소화기

전화기

전화 → 전 ㅎ + 와
원숭이 → ㅇ + 원숭이

2. 들어 봅시다.

❶ 오 + 아 → 와

❷ 우 + 어 → 워

3. 골라 봅시다.

❶ 와 　 에
( ) 　 ( )

❷ 우 　 워
( ) 　 ( )

❸ 아 　 와
( ) 　 ( )

❹ 워 　 어
( ) 　 ( )

4. 써 봅시다.

ㅘ		
ㄱ 과		
ㄴ 놔		
ㅇ 와		
ㅎ 화		

ㅝ		
ㄱ 궈		
ㄴ 눠		
ㅇ 워		
ㅎ 훠		

25 ᅱ, ᅴ

1. ᅱ, ᅴ를 알아봅시다.

위

귀

의사

의자

바퀴

바 퀴 → 바 ㅋ + 위

의 사 → ㅇ + 의 사

2. 들어 봅시다.

① 우+이 → 위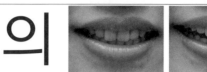

② 으+이 → 의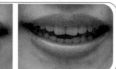

3. 골라 봅시다.

① 우   위
( )   ( )

② 이   의
( )   ( )

③ 위   의
( )   ( )

④ 의   워
( )   ( )

4. 써 봅시다.

ㅟ		
ㅇ 위		
ㄱ 귀		
ㅌ 튀		
ㅎ 휘		

ㅢ		
ㅇ 의		
ㄱ 긔		
ㅌ 틔		
ㅎ 희		

ㅙ, ㅚ, ㅞ

1. ㅙ, ㅚ, ㅞ를 알아봅시다.

| 교 | 회 | → | 교 | ㅎ | + | 외 |

| 웨 | 딩 | → | ㅇ | + | 웨 | 딩 |

| 왜 | → | ㅇ | + | 왜 |

2. 들어 봅시다. 💿 42

① 왜　② 외　③ 웨

3. 골라 봅시다. 💿 43

① 우　웨
（　）（　）

② 오　왜
（　）（　）

③ 외　이
（　）（　）

④ 왜　애
（　）（　）

4. 써 봅시다. ✏️

ㅙ			ㅚ			ㅞ		
ㄷ	돼		ㄴ	뇌		ㄱ	궤	
ㅇ	왜		ㅇ	외		ㄷ	뒈	
ㅌ	퇘		ㅌ	퇴		ㅇ	웨	
ㅅ	쇄		ㅎ	회		ㅎ	훼	

27 바르게 읽기

1. 알아봅시다.

할아버지 → 할ˢ라버지

목욕 → 목ˢ꼭   음악 → 음ˢ막

국어 → 국ˢ거   학원 → 학ˢ권

군인 → 군ˢ닌

듣고 따라 해 봅시다. 💿 44

❶ 할/아/버/지	할아버지
❷ 목/욕	목욕
❸ 국/어	국어
❹ 음/악	음악
❺ 학/원	학원
❻ 군/인	군인

3. 들어 봅시다. 💿 45

❶ 옷/이 옷이   ❷ 꽃/을 꽃을

❸ 집/에 집에   ❹ 앞/으로 앞으로

❺ 있/어 있어   ❻ 진섭/아 진섭아

28 이름

1. 읽어 봅시다.

2. 이름을 써 봅시다.

이름	남	궁	지	민		
우리 선생님 이름						
내 이름						
엄마 이름						
( )						
( )						
( )						

29

기차 ㄱ, ㄴ, ㄷ 1

1. 들어 봅시다.

ㄱ 기다란 기차가

ㄷ 다리를 건너

ㄹ 랄랄라 노래를 부르며

ㄴ 나무 옆을 지나

ㅁ 마을을 지나서

ㅂ 비바람 속을 헤치고

ㅅ 숲속을 지나

2. 읽어 봅시다.

3. 들어 봅시다. 47

❶ ㄱ	기역
❸ ㄷ	디귿
❺ ㅁ	미음
❼ ㅅ	시옷

❷ ㄴ	니은
❹ ㄹ	리을
❻ ㅂ	비읍

4. 써 봅시다.

ㄱ	기역	기역		
ㄴ	니은	니은		
ㄷ	디귿	디귿		
ㄹ	리을	리을		
ㅁ	미음	미음		
ㅂ	비읍	비읍		
ㅅ	시옷	시옷		

기차 ㄱ, ㄴ, ㄷ 2

1. 들어 봅시다.

ㅇ 언덕을 넘어

ㅈ 자동차 사이를 빠져나와

ㅊ 창문을 닫고

ㅌ 터널을 통과해서

ㅋ 커다랗고 컴컴한

ㅎ 해는 벌써 지고 있어요

ㅍ 풀밭을 가로지르면

2. 읽어 봅시다.

들어 봅시다. 49

❶
ㅇ	이응
ㅊ	치읓
ㅌ	티읕
ㅎ	히읗

❸

❺

❼

❷
ㅈ	지읒
ㅋ	키읔
ㅍ	피읖

❹

❻

4. 써 봅시다.

ㅇ	이응	이응		
ㅈ	지읒	지읒		
ㅊ	치읓	치읓		
ㅋ	키읔	키읔		
ㅌ	티읕	티읕		
ㅍ	피읖	피읖		
ㅎ	히읗	히읗		

읽어 봅시다

	ㅏ	ㅑ	ㅓ	ㅕ	ㅗ	ㅛ	ㅜ	ㅠ	ㅡ	ㅣ
ㄱ	가	갸	거	겨	고	교	구	규	그	기
ㄴ	나	냐	너	녀	노	뇨	누	뉴	느	니
ㄷ	다	댜	더	뎌	도	됴	두	듀	드	디
ㄹ	라	랴	러	려	로	료	루	류	르	리
ㅁ	마	먀	머	며	모	묘	무	뮤	므	미
ㅂ	바	뱌	버	벼	보	뵤	부	뷰	브	비
ㅅ	사	샤	서	셔	소	쇼	수	슈	스	시
ㅇ	아	야	어	여	오	요	우	유	으	이
ㅈ	자	쟈	저	져	조	죠	주	쥬	즈	지
ㅊ	차	챠	처	쳐	초	쵸	추	츄	츠	치
ㅋ	카	캬	커	켜	코	쿄	쿠	큐	크	키
ㅌ	타	탸	터	텨	토	툐	투	튜	트	티
ㅍ	파	퍄	퍼	펴	포	표	푸	퓨	프	피
ㅎ	하	햐	허	혀	호	효	후	휴	흐	히

글자를 만들어 봅시다

초등학생을 위한

표준 한국어

국립국어원 기획 | 이병규 외 집필

저학년

의사소통 1

마리북스

1
저는 아비가일이에요

학습 목표
• 친구들 앞에서 인사할 수 있다.
• 자기소개를 할 수 있다.

저는 아비가일이에요.

• 이름이 뭐예요?
• 지금 뭐 해요?

1 이름

1. 들어 봅시다. 💿 50

이름이 뭐예요?

아비가일이에요.

아비가일

저밍

2. 연습해 봅시다.

1) 들어 보세요. 골라 보세요. 💿 51

① ② ③ ④

| ☑ 아비가일이에요. | ☐ 리암이에요. | ☐ 요우타예요. | ☐ 아이다예요. |
| ☐ 리암이에요. | ☐ 저밍이에요. | ☐ 하미예요. | ☐ 요우타예요. |

이에요

촘푸

리암

요우타

아이다

하미

빈센트

2) 들어 보세요. 붙여 보세요. 💿52 붙임 딱지

① 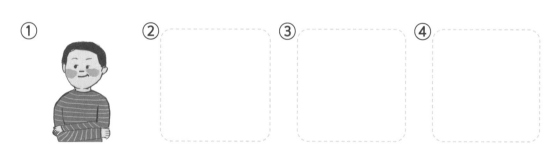 ② ③ ④

3. 대답해 봅시다.

이름이 뭐예요?

선생님   나

② 나라 이름 1

1. 읽어 봅시다.

① 중국 ② 베트남 ③ 일본

④ 필리핀 ⑤ 키르기스스탄 ⑥ 캄보디아

2. 들어 봅시다. 따라 해 봅시다.

1) 나라 이름을 들어 보세요. 연결해 보세요. 💿 53

2) 어느 나라에서 왔어요? 💿 54

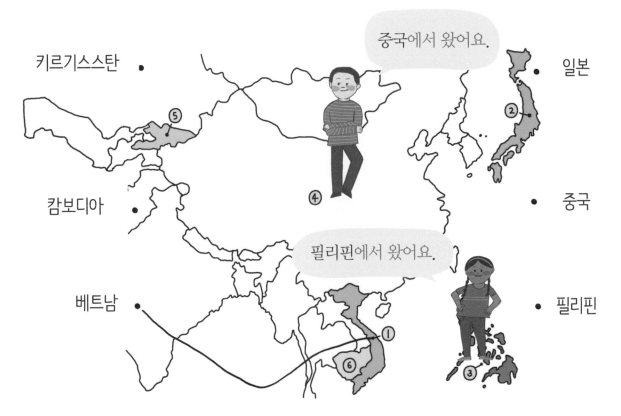

중국, 베트남, 일본,
필리핀, 키르기스스탄,
캄보디아

 에서 왔어요

3. 해 봅시다.

1) 읽어 보세요. 질문에 답해 보세요. 💿 55

안녕하세요?
저밍이에요.
중국에서 왔어요.

 ● 어느 나라에서 왔어요?

☐ 키르기스스탄   ☐ 중국   ☐ 베트남

2) 얼굴을 그려 보세요. 써 보세요.

안녕하세요?

　　　　　　　이에요/예요.

　　　　　　　에서 왔어요.

나

③ 나라 이름 2

1. 들어 봅시다.

1) 들어 보세요. 💿 56

어느 나라에서 왔어요?

미국에서 왔어요.

2) 들어 보세요. 따라 해 보세요. 💿 57

⑤ 독일

① 몽골

③ 태국

⑥ 미국

② 인도네시아

④ 케냐

2. 연습해 봅시다.

1) 들어 보세요. 연결해 보세요. 💿 58

① 자르갈이에요.

촘푸예요.

태국에서 왔어요.

몽골에서 왔어요.

2) 들어 보세요. 골라 보세요. 💿 59

① 가 ☑   나 ☐

② 가 ☐   나 ☐

3. 아저씨하고 촘푸의 대화를 해 봅시다.

안녕하세요?

이름이 뭐예요?

어느 나라에서
왔어요?

안녕하세요?

4 숫자 1

1. 읽어 봅시다.

1 일   2 이   3 삼   4 사   5 오

6 육   7 칠   8 팔   9 구   10 십

2. 연습해 봅시다.

1) 들어 보세요. 그림에서 찾아보세요. 🎧60

2) 들어 보세요. 골라 보세요. 🔘61

① ☐ 1학년 2반 ☑ 2학년 2반   ② ☐ 2학년 1반 ☐ 4학년 3반

3. 읽어 봅시다. 질문에 답해 봅시다. 🔘62

자르갈이에요.
몽골에서 왔어요.
2학년 2반이에요.

● 몇 학년 몇 반이에요?

☐ 1학년 1반 ☐ 2학년 1반 ☐ 2학년 2반

⑤ 우리 반

1. 들어 봅시다.

1) 들어 보세요. 💿 63

저는 하미입니다.
2학년 1반입니다.

2) 들어 보세요. 연결해 보세요. 💿 64

요우타입니다.

2학년 2반입니다.

①

아비가일입니다.

2학년 1반입니다.

②

2. 연습해 봅시다.

1) 들어 보세요. 골라 보세요. 💿 65

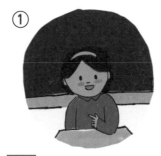

①

②

ⓥ 저는 하미입니다.

☐ 저는 아비가일입니다.

☐ 저는 리암입니다.

☐ 저는 저밍입니다.

2) 들어 보세요. 누구예요? 🎧 66

3. 리암하고 빈센트가 자기소개를 합니다. 해 봅시다.

6 자기소개하기

1. 말해 봅시다.

1) 질문해 보세요. 대답해 보세요.

1. 이름이 뭐예요?

2. 어느 초등학교예요?

3. 몇 학년 몇 반이에요?

4. 어느 나라에서 왔어요?

2) 연습해 보세요.

안녕하세요?

저는……

만나서 반갑습니다.

잘 부탁드립니다.

3) 자기소개를 해 보세요.

4) 들어 보세요. 박수 치세요.

2. 써 봅시다.

1) 메모해 보세요.

이름	학교, 학년, 반
나라	?

나

2) 써 보세요.

저는 _____ 입니다.

3) 들으세요.

저는 ○○○ 입니다.
......
이 사람은 누구예요?

4) 누구예요? 알아맞히세요.

촘푸입니다.

7 연극하기

1. 읽어 봅시다.

사자	토끼	개	곰

2. 역할을 나누어 봅시다.

3. 해 봅시다.

1) 연습해 보세요. 💿 67

안녕하세요? 저는 사자입니다.

저는 토끼입니다.

저는 개입니다.

저는 곰입니다.

저는 케냐에서 왔어요.
어디에서 왔어요?

저는 일본에서 왔어요.

저는 중국에서 왔어요.

저는 러시아에서 왔어요.

저는 동물초등학교 2학년 3반이에요.

저는 1학년 4반이에요.

저는 1학년 7반이에요.

저는 2학년 8반이에요.

와! 만나서 반갑습니다.

반갑습니다. 잘 부탁드립니다.

2) 연극을 해 보세요. 부록

8 이야기 읽기

1. 읽어 봅시다

1) 읽어 보세요. 질문에 답해 보세요. 💿 68

저는 요우타입니다.
나래초등학교 2학년 2반입니다.
일본에서 왔어요.

저는 저밍입니다.
나래초등학교 2학년 1반입니다.
중국에서 왔어요.

저는 아이다입니다.
나래초등학교 2학년 1반입니다.
키르기스스탄에서 왔어요.

● 어디에서 왔어요? 쓰세요.

_____   _____   _____

2) 큰 소리로 읽어 보세요.

2. 나와 친구를 그려 봅시다.

나

친구

3. 나와 친구를 소개해 봅시다.

저는 ＿＿＿＿＿＿ 입니다.

＿＿＿＿＿＿＿＿＿＿

＿＿＿＿＿＿＿＿＿＿

＿＿＿＿＿＿＿＿＿＿

친구는 ＿＿＿＿＿＿ 입니다.

＿＿＿＿＿＿＿＿＿＿

＿＿＿＿＿＿＿＿＿＿

＿＿＿＿＿＿＿＿＿＿

⑨ 놀이하기

1. 노래를 해 봅시다. 💿 69

당신은 누구십니까?

나는 ------------------------------.

그 이름 아름답구나.

당신은 누구십니까?

나는 ------------------------------.

그 이름 아름답구나.

2. 말판 놀이를 해 봅시다.

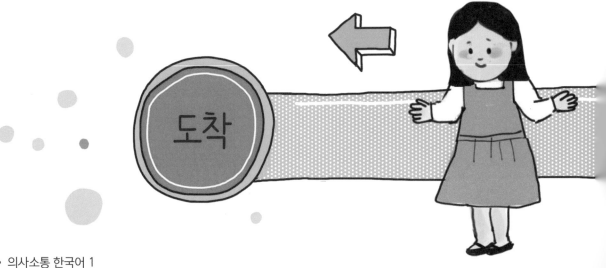

도착

⑩ 생각 넓히기

1. 한국의 인사 예절입니다. 읽어 봅시다.

2. 연결해 봅시다.

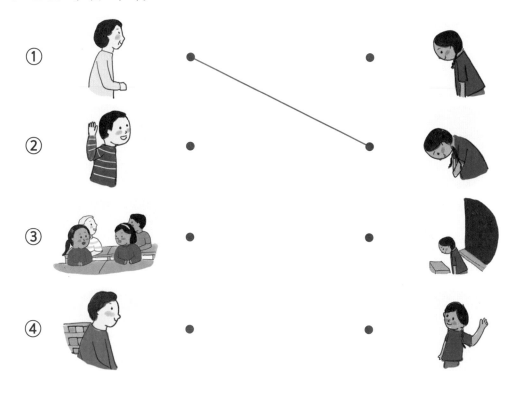

① ② ③ ④

3. 친구와 같이 이야기해 봅시다.

1) 어느 나라에서 왔어요?
   어떻게 인사해요?

2) 인사해요. 어떻게 말해요?

이건 뭐예요?

• 하미가 무엇을 해요?
• 이건 뭐예요?

① 교실 물건

1. 들어 봅시다.

1) 들어 보세요. 💿 70

2. 연습해 봅시다.

1) 연결해 보세요.

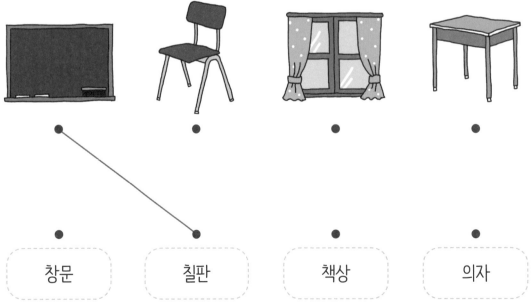

책상, 의자, 책,
공책, 창문, 칠판

뭐

⑥ 칠판

2) 들어 보세요.
따라 해 보세요. 🔘 71

③ 책

④ 공책

NOTE

2) 들어 보세요. 골라 보세요. 🔘 72

① ☑ 의자예요.　　② ☐ 책이에요.　　③ ☐ 칠판이에요.

　 ☐ 책이에요.　　　 ☐ 책상이에요.　　　 ☐ 공책이에요.

3. 친구와 같이 이야기해 봅시다.

이건 뭐예요?

공책이에요.

② 학용품

1. 읽어 봅시다. 💿 73

① 필통 ② 연필 ③ 지우개

④ 스케치북 ⑤ 크레파스 ⑥ 가방

2. 다 같이 연습해 봅시다.

1) 무엇이 없어요? 써 보세요.

가방

2) 들어 보세요. 골라 보세요. 💿 74

① □ ☑

② □ □

③ □ □

④ □ □

3. 그림을 보세요. 해 봅시다.

1) 잘못된 것을 찾아보세요. 붙여 보세요. 붙임 딱지

2) 바르게 말하세요.

 이건 필통이에요.

3 이것, 그것, 저것

1. 들어 봅시다.

1) 들어 보세요. 💿75

이것은 누구 공책이에요?

그것은 성우 공책이에요.

2) 들어 보세요. 따라 해 보세요. 💿76

① 이것

② 그것

③ 저것

2. 들고 연습해 봅시다.

1) 들어 보세요. 대답해 보세요. 💿77

  이것은 누구 필통이에요?

그것은 리암 필통이에요.

①
리암

②
지민

③
아비가일

④
저밍

⑤
요우타

⑥
아이다

2) 들어 보세요. 골라 보세요. 💿 78

① ☑ ☐   ② ☐ ☐

③ ☐ ☐   ④ ☐ ☐

3. 쓰고 말해 봅시다.

1) 이름을 써서 붙이세요.   2) 말해 보세요.

이것은 누구 연필이에요?

그것은 리암 연필이에요.

④ 숫자 2

1. 읽어 봅시다. 🔘 79

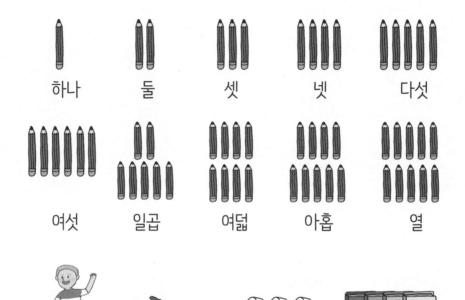

하나	둘	셋	넷	다섯
여섯	일곱	여덟	아홉	열

한 명	두 자루	세 개	네 권

2. 그림을 보고 연습해 봅시다.

1) 들어 보세요. 색칠해 보세요. 🔘 80

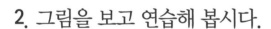

①

②

③

④

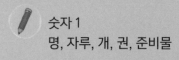

2) 그림을 보세요. 써 보세요.

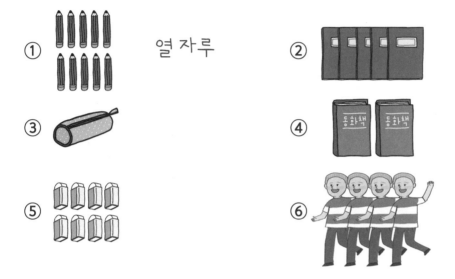

① 열 자루

3. 알림장을 보세요. 읽어 봅시다.

1) 읽어 보세요.

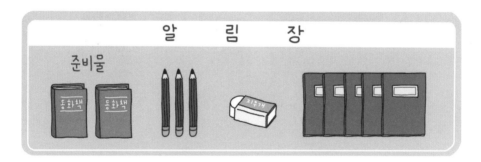

2) 내일 준비물이 뭐예요? 알림장을 써 보세요.

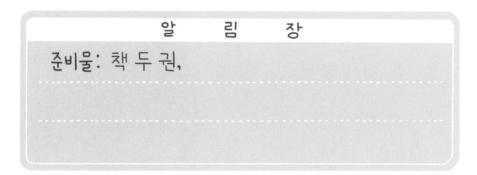

5 물건 주인

1. 들어 봅시다. 🔘81

2. 연습해 봅시다.

1) 들어 보세요. 따라 해 보세요. 🔘82

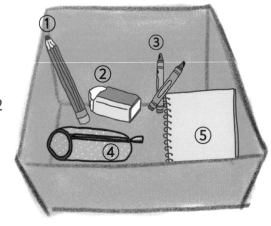

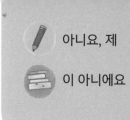
2) 써 보세요.

①  크레파스

이건 크레파스가 아니에요.
연필이에요.

②  지우개

③ 창문

④ 의자

3. 읽고 써 봅시다.

1) 읽어 보세요. 💿 83

저는 하미예요.
저는 1학년이 아니에요.
2학년이에요.
이것은 제 가방이 아니에요.
저밍 가방이에요.

2) 써 보세요.

저는 _____.
저는 ____ 이/가 아니에요.
_____ 이에요/예요.
이것은 ____ 이/가 아니에요.
_____ 이에요/예요.

1. 이야기해 봅시다.

1) 읽어 보세요. 💿 84

2) 여러분 책상에는 무슨 물건이 있어요? 말해 보세요.

2. 교실에 무엇이 있어요? 찾아봅시다.

1) 찾으세요. ○표 하세요.

공	장	지	우	개	이
책	상	스	케	치	북
고	크	레	파	스	키
의	다	소	연	필	오
자	송	책	종	칠	통
강	아	콩	라	판	도

2) 찾은 낱말을 써 보세요.

①   공책   ⑥
-------------------------------------   -------------------------------------

②   ⑦
-------------------------------------   -------------------------------------

③   ⑧
-------------------------------------   -------------------------------------

④   ⑨
-------------------------------------   -------------------------------------

⑤
----

⑦ 보물찾기

1. 친구 물건을 소개해 봅시다.

1) 친구에게 물어보세요. 대답해 보세요.

1. 이건 뭐예요?
2. 누구 거예요?
3. 몇 개예요?(몇 자루예요? 몇 권이에요?)

2) 써 보세요.

✏️ ⬜	👦 👧	**1** **2** **3**
지우개	성우	한 개

3) 친구 물건을 소개해 보세요.

이건 성우 지우개예요.
한 개예요.

이건 _____ _____ 이에요/예요.

_____ 개예요(자루예요, 권이에요).

2. 보물찾기를 해 봅시다.

알림장 쓰기

1. 방을 소개합니다. 읽어 봅시다.

1) 읽어 보세요. 따라 해 보세요. 💿 85

저는 저밍이에요.
나래초등학교 2학년이에요.
이것은 제 책상이에요.
이것은 제 책이 아니에요.
누나 책이에요.

2) O, X를 하세요.

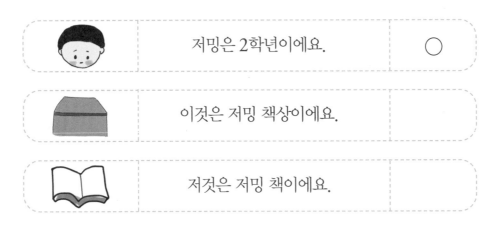

	저밍은 2학년이에요.	○
	이것은 저밍 책상이에요.	
	저것은 저밍 책이에요.	

2. 알림장을 읽어 봅시다.

1) 그림을 보세요. 써 보세요.

저는 아비가일이에요.
나래초등학교 2학년이에요.
이것은 제 알림장이에요.
준비물은　지우개 한 개　,　　　　　　,

　　　　　　　　　　　　,　　　　　　이에요.

2) 소리 내어 읽어 보세요. 💿86

9 내 물건 소개하기

1. 노래해 봅시다.

1) 들어 보세요. 따라 해 보세요. 🎧 87

이것은 이것은 뭐예요?
이것은 이것은 책이에요.

저것은 저것은 공책이에요?
저것은 공책이 아니에요.

이것은 누–구 가방이에요?
이것은 내 가방이–에요.

2) 가사를 바꿔 불러 보세요.

2. 내 물건을 소개해 봅시다.

1) 여러분 책상에 무엇이 있어요? 그려 보세요.

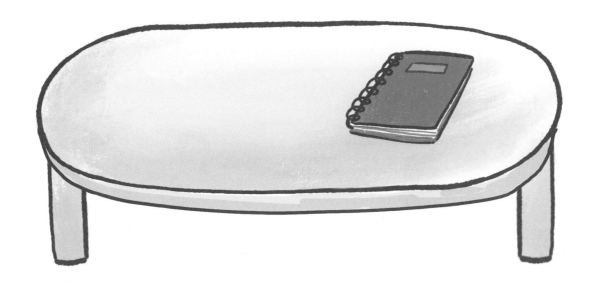

2) 그림을 보세요. 아래와 같이 써 보세요.

이것은 책상이에요.

이것은 책이에요.

이것은 연필이에요.

연필은 두 자루예요.

이것은 공책이에요.

공책은 두 권이에요.

1. 읽어 봅시다.

공책이에요.

네.

이렇게 받아요.

감사합니다.

하미, 다시 오세요.

2. 말해 봅시다.

① 하미가 무엇을 받아요?

② 하미가 어떻게 했어요?

③ 하미가 왜 다시 와요?

④ 물건을 어떻게 받아요?

3. 물건을 전하세요.

음악실은
어디에 있어요?

• 학교에 무슨 교실이 있어요?

• 음악실은 어디에 있어요?

① 있어요, 없어요

1. 들어 봅시다. 🔊88

- 연필이 있어요?
- 지우개가 있어요?
- 네, 있어요.
- 아니요, 없어요.

2. 무엇이 있어요? 연습해 봅시다.

1) 위 그림을 보세요. 들으세요. 대답하세요. 🔊89

- 필통이 있어요?
- 네, 있어요.

① 필통　　② 크레파스　　③ 책　　④ 스케치북

2) 들어 보세요. 골라 보세요. 💿 90

① ☑ 네, 있어요. ☐ 아니요, 없어요.
② ☐ 네, 있어요. ☐ 아니요, 없어요.
③ ☐ 네, 있어요. ☐ 아니요, 없어요.
④ ☐ 네, 있어요. ☐ 아니요, 없어요.

3. 물건을 골라 봅시다.

1) 붙여 보세요. 붙임 딱지

2) 친구와 이야기하세요.

① 책상이 있어요?
② 네, 있어요.
④ 아니요, 없어요.
③ 가방이 있어요?

② 위치

1. 읽어 봅시다. 🎧91

① 앞 ····· ····· ② 뒤
③ 위
④ 아래
⑤ 옆
⑥ 안
⑦ 밖

2. 잘 듣고 연습해 봅시다.

1) 들으세요. 써 보세요. 🎧92

① 필통이 책상 (아래) 에 있어요.

② 가방이 리암 ( ) 에 있어요.

③ 공책이 가방 ( ) 에 있어요.

④ 하미가 리암 ( ) 에 있어요.

2) 들어 보세요. V표를 하세요. 💿93

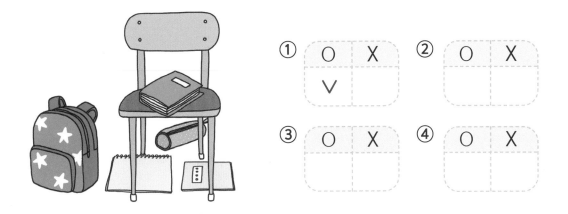

① ○ X   ② ○ X
  V

③ ○ X   ④ ○ X

3. 이야기해 봅시다.

1) 여러분 앞뒤에는 누가 있어요? 쓰세요.

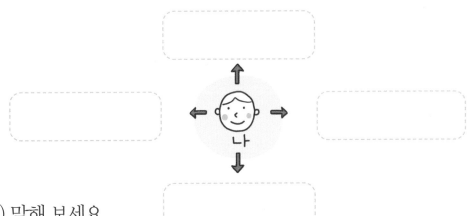

2) 말해 보세요.

😊 내 **앞**에는 ＿＿＿＿＿＿＿＿＿이/가 있어요.

😊 내 **뒤**에는 ＿＿＿＿＿＿＿＿＿＿＿.

😊 내 **옆**에는 ＿＿＿＿＿＿＿＿＿＿＿.

😊 내 **옆**에는 ＿＿＿＿＿＿＿＿＿＿＿.

③ 교실 이름

1. 들어 봅시다.

1) 들어 보세요. 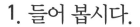 94

화장실이 어디에 있어요?

보건실 옆에 있어요.

2) 들어 보세요. 따라 해 보세요. 💿 95

① 교실　　② 교무실　　③ 화장실

④ 음악실　　⑤ 미술실　　⑥ 보건실

2. 연습해 봅시다.

1) 어디에 갈까요? 연결해 보세요.

음악실　　미술실　　보건실　　화장실

교실, 교무실, 화장실,
음악실, 미술실, 보건실

어디

2) 들어 보세요. 써 보세요. 96

3. 친구와 같이 해 봅시다.

1) 우리 교실 옆에 무엇이 있어요? 써 보세요.

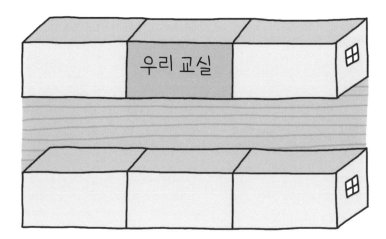

2) 이야기해 보세요.

화장실이 어디에
있어요?

우리 교실 옆에 있어요.

4 교실 위치

1. 읽어 봅시다.  🎧 97

① 교무실은 어디에 있어요?

③ 보건실은 어디에 있어요?

② 교무실은 1층에 있어요.

④ 보건실도 1층에 있어요.

2. 연습해 봅시다.

1) 들어 보세요. 써 보세요. 🎧 98

우리 학교예요.

교무실은 1층에 있어요. 보건실 (도) 1층에 있어요.

1학년 1반 교실은 2층에 있어요. 미술실(   ) 2층에 있어요.

2학년 1반 교실(   ) 3층에 있어요. 음악실(   ) 3층에 있어요.

2) 읽어 보세요.

3. 해 봅시다.

1) 이야기해 보세요.

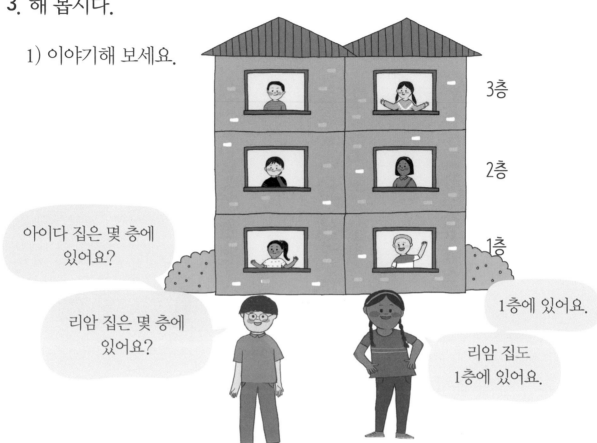

3층

2층

1층

아이다 집은 몇 층에 있어요?

리암 집은 몇 층에 있어요?

1층에 있어요.

리암 집도 1층에 있어요.

2) 써 보세요.

아이다 집은 ＿＿＿1＿＿ 층에 있어요.

리암 집도 ＿＿＿＿＿ 층에 있어요.

요우타 집은 ＿＿＿＿＿ 에 ＿＿＿＿＿＿＿＿.

하미 집도 ＿＿＿＿ 에 ＿＿＿＿＿＿＿＿.

저밍 집＿＿＿＿ ＿＿＿＿ ＿＿＿＿.

지민이 집＿＿＿＿ ＿＿＿＿ ＿＿＿＿.

5 동작을 나타내는 말 1

① 자다

1. 들어 봅시다. 💿 99

2. 연습해 봅시다.

1) 들어 보세요. 붙여 보세요. 💿 100 붙임 딱지

2) 그림을 보세요. 고르세요.

- ☑ 저밍은 자요.
- ☐ 저밍은 이야기해요.

- ☐ 아비가일은 숙제해-
- ☐ 아비가일은 놀아요.

- ☐ 지민이는 숙제해요.
- ☐ 지민이는 청소해요.

- ☐ 성우는 숙제해요.
- ☐ 성우는 놀아요.

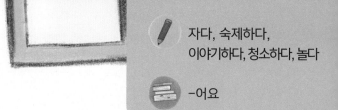

자다, 숙제하다,
이야기하다, 청소하다, 놀다

-어요

④ 청소하다

③ 이야기하다

② 숙제하다

⑤ 놀다

3. 친구들과 같이 해 봅시다.

1) 반 친구들이 무엇을 해요? 써 보세요.

이름	-아요/어요/여요

2) 이야기해 보세요.

유미는 이야기해요.

리사는 숙제해요.

6 학교 건물 소개하기

1. 이야기해 봅시다.

1) 친구 책상에 무엇이 있어요? 써 보세요.

누구?	어디?	무엇?
	책상 위	책, 공책
	책상 아래	
	책상 위	
	책상 아래	
	책상 위	
	책상 아래	

2) 말해 보세요.

성우 책상 위에
책이 있어요.
공책도 있어요.

리암 책상 아래에
가방이 있어요.

2. 써 봅시다.

1) 우리 학교에 무엇이 있어요? 그려 보세요.

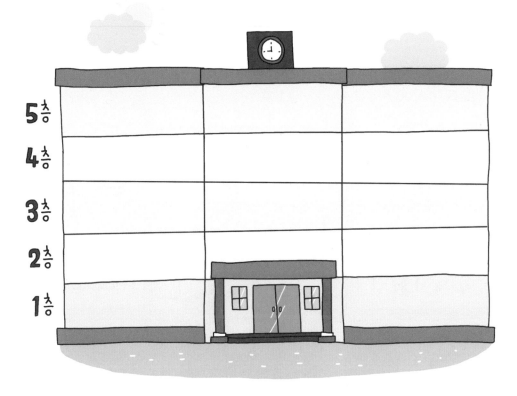

2) 써 보세요.

우리 학교예요.

우리 학교에 _____, _____, _____, _____이/가 있어요.

_____은/는 _____에 있어요.

_____은/는 _____에 있어요.

_____

_____

1. 그림을 보세요. 교실 이름을 써 봅시다.

①   보건실   ②

③   ④

⑤   ⑥

2. 듣고 써 봅시다.

공책은 어디에 있어요?

책상 위에 있어요.

1) 친구 말을 들어 보세요.
   붙이세요. 붙임 딱지 부록

2) 그림을 보세요. 써 보세요.

책상 위에 공책이 있어요.

8 일기 읽기

1. 하미의 일기를 읽어 봅시다.

1) 읽어 보세요. 🔘 101

> 우리 학교예요.
> 우리 학교에 음악실, 미술실, 보건실이 있어요.
> 보건실은 1층에 있어요. 미술실은 2층에 있어요.
> 음악실은 3층에 있어요.
> 우리 교실은 3층에 있어요.
> 우리 교실 옆에 교무실이 있어요.

2) 어디에 있어요? 연결해 보세요.

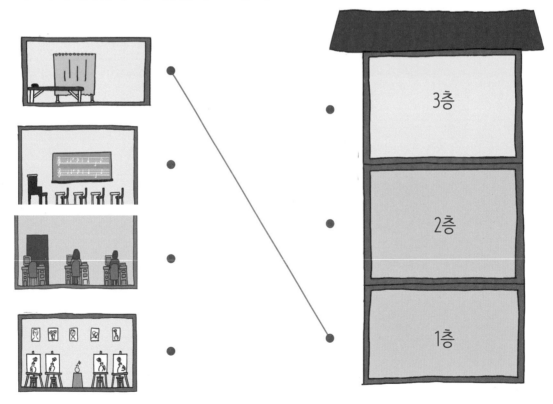

2. 저밍의 일기를 읽어 봅시다.

1) 읽어 보세요.  102

제 방이에요.
책상이 있어요.
침대도 있어요.
책상 위에 책이 있어요.
공책도 있어요.
책상 아래에 가방이 있어요.

2) 써 보세요.

① 저밍 방에 무엇이 있어요?

② 책은 어디에 있어요?

③ 가방은 어디에 있어요?

1. 노래를 듣고 따라 해 봅시다. 🔊 103

옆에 옆에

옆에 옆에 옆에 옆으로
옆에 옆에 옆에 옆으로
위로 아래로 위로 아래로
위로 아래로 위로 아래로

옆에 옆에 옆에 뺑 돌아 짝짝
옆에 옆에 옆에 뺑 돌아 짝짝
위로 아래로 위로 아래로
위로 아래로 위로 아래로

옆에 옆에 춤을 춥시다
옆에 옆에 춤을 춥시다
위로 아래로 위로 아래로
위로 아래로 위로 아래로

2. 선생님의 말을 듣고 따라 해 보세요.

3. 있어요? 없어요? 말해 봅시다.

⑩ 생각 넓히기

1. 잘했어요? 잘못했어요? ○, X 해 봅시다.

싸워요. (X)

노래해요. (   )

뛰어요. (   )

걸어요. (   )

인사해요. (   )

2. 읽어 봅시다.

오른쪽으로 걸어요.

선생님께 인사해요.

조용히 이야기해요.

천천히 걸어요.

3. 여러분은 복도에서 어떻게 해요? 말해 봅시다.

4. 복도에서 이렇게 해 봅시다.

서점에 가요

• 우리 동네에 무엇이 있어요?
• 여러분은 어디에 가요?

1 가게

1. 들어 봅시다.

   1) 들어 보세요. 💿 104

   2) 들어 보세요. 따라 해 보세요. 💿 105

① 꽃집 ② 서점 ③ 빵집

어디에 가요?

문구점에 가요.

④ 슈퍼마켓 ⑤ 약국 ⑥ 문구점

꽃집, 서점, 빵집,
슈퍼마켓, 약국, 문구점,

에 가요/와요

2. 들어 보세요. 번호를 써 봅시다. 💿 106

3. 그림을 보고 말해 봅시다.

1) 아이다가 어디에 가요? 말해 보세요.

① 아이다가 슈퍼마켓에 가요.

② _____

③ _____

④ _____

2) 여러분은 어디에 가요?

② 동작을 나타내는 말 2

1. 들어 봅시다. 💿107

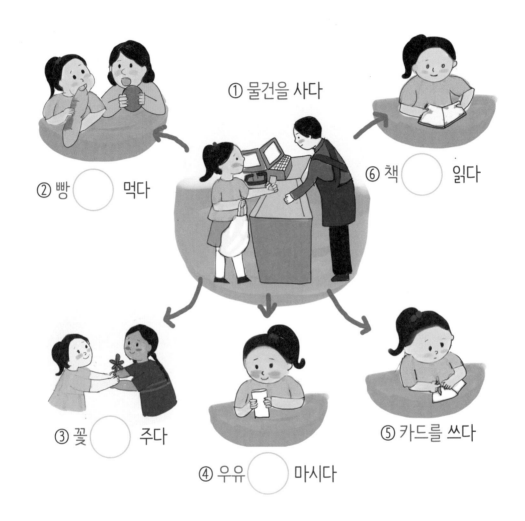

① 물건을 사다

② 빵 ◯ 먹다

⑥ 책 ◯ 읽다

③ 꽃 ◯ 주다

④ 우유 ◯ 마시다

⑤ 카드를 쓰다

2. 그림을 보고 연습해 봅시다.

1) ◯ 에 쓰세요.

2) 다시 읽어 보세요.

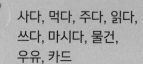

3. 생일 파티에서 무엇을 해요? 읽어 봅시다.

1) 읽어 보세요. ◎ 108

아비가일 생일이에요.
성우는 케이크를 먹어요.
아이다는 꽃을 줘요.
지민이는 우유를 마셔요.
리암은 카드를 써요.

2) 써 보세요.

성우는 케이크를 ----------------------------------- .

지민이는 우유를 ----------------------------------- .

3 우리 집 앞

1. 들어 봅시다.

1) 들어 보세요. 🔘109

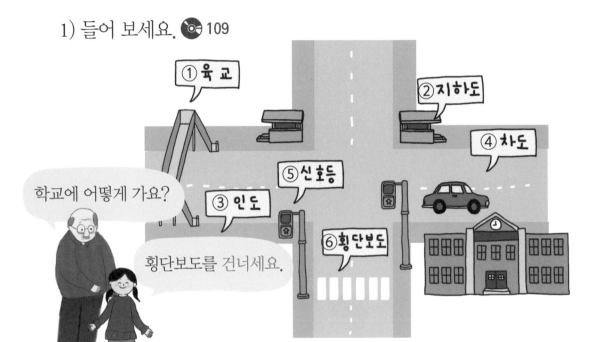

2) 들어 보세요. 따라 해 보세요. 🔘110

2. 연습해 봅시다. 🔘111

1) 들어 보세요. 붙이세요. `붙임 딱지`

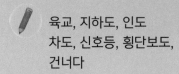

2) 들어 보세요. 번호를 쓰세요. 🔘 112

3. 그림을 보세요. 이야기해 보세요.

③ 슈퍼마켓

④ 빵집

② 문구점

① 서점

서점에 어떻게 가요?

횡단보도를 건너세요.

④ 색깔

1. 읽어 봅시다. 💿 113

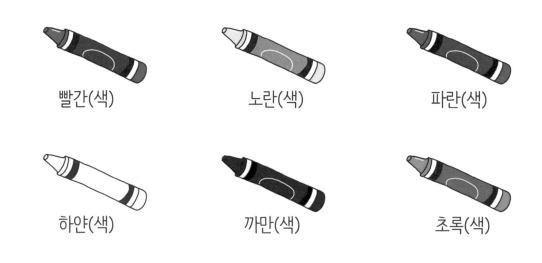

빨간(색)   노란(색)   파란(색)

하얀(색)   까만(색)   초록(색)

2. 색칠해 봅시다.

하얀색 지우개   파란색 연필   노란색 필통

까만색 가방   빨간색 크레파스   초록색 칠판

3. 이야기를 읽어 봅시다.

1) 읽어 보세요. 🔘 114

차도에 차가 있어요.
하얀색 차가 있어요.
까만색 차도 있어요.
차도에 신호등이 있어요.
빨간불이 있어요.
초록불도 있어요.

2) 맞는 것에 표시해 보세요.

	네	아니요
① 차도에 하얀색 차가 있어요?	V	
② 차도에 파란색 차도 있어요?		
③ 신호등에 초록색 불이 있어요?		

5 교통 신호

1. 들어 봅시다. 💿115

① 건너세요　　　　② 건너지 마세요

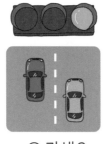

③ 가세요　　　　④ 가지 마세요　　　　⑤ 조심하세요

2. 그림을 보고 연습해 봅시다.

1) 들어 보세요. 골라 보세요. 💿116

2) 그림을 보세요. 말해 보세요.

① 앉지 마세요.

②

③

④

3. 친구의 말을 듣고 따라 해 봅시다.

가지 마세요.

6 우리 동네 설명하기

1. 가게에서 무엇을 사고 싶어요? 말해 봅시다.

1) 무엇을 사요? 쓰세요.

책

2) 이야기해 보세요.

① 서점에 가요.

② 책을 사요.

④ 연필을 사요.

③ 문구점에 가요.

2. 우리 동네 이야기를 듣고 말해 봅시다.

1) 들은 것과 다른 곳에 X표 하세요. 💿117

2) 그림을 보고 이야기하세요.

서점 옆에 꽃집이 있어요.
꽃집 옆에 문구점이 있어요.

⑦ 색칠하기

1. 동시를 읽어 봅시다.

1) 들어 보세요. 따라 해 보세요. 💿 118

무지개

빨간색, 주황색, 노란색, 초록색,
파란색, 남색, 보라색
일곱 색깔 무지개

하늘에서 내려온 예쁜 선물

빨간색, 주황색, 노란색, 초록색,
파란색, 남색, 보라색
일곱 색깔 내 우산

아빠가 사 주신 멋진 선물

2) 빈칸에 써 보세요.

● 무지개는 (　　　　), 주황색, (　　　　), (　　　　), (　　　　),
　남색, 보라색이에요.

● 아빠가 (　　　　)을 사 주셨어요.

2. 색칠해 봅시다.

1) 색깔에 맞게 색칠해 보세요.

			□	□	□	□			
		□	○	○	○	○	□		
	□	○	△	△	△	△	○	□	
□	○	△	◇	◇	◇	◇	△	○	□
○	△	◇	☆	☆	☆	☆	◇	△	○
△	◇	☆	◎	◎	◎	◎	☆	◇	△
◇	☆	◎	♡	♡	♡	♡	◎	☆	◇
☆	◎	♡					♡	◎	☆
◎	♡							♡	◎
♡									♡

□빨간색   ○주황색   △노란색   ◇초록색   ☆파란색   ◎남색   ♡보라색

2) 무슨 그림이에요?

⑧ 이야기 읽기

1. 우리 동네 이야기를 읽어 봅시다. 💿119

우리 동네예요.

우리 동네에 서점이 있어요.

서점 옆에 슈퍼마켓이 있어요.

슈퍼마켓 앞에 횡단보도가 있어요.

나는 서점에 가요. 책을 사요.

슈퍼마켓에 가요. 우유를 사요. 과자도 사요.

나는 우리 동네가 좋아요.

● 서점 옆에 무엇이 있어요?

● 횡단보도가 어디에 있어요?

● 슈퍼마켓에서 무엇을 사요?

2. 우리 동네 이야기를 써 봅시다.

1) 우리 동네를 그려 보세요.

2) 써 보세요.

우리 동네예요.
- -
- -
- -
- -
- -

9 노래하기

1. 노래해 봅시다. 💿 120

건너가는 길

건너가는 길을 건널 땐
빨간불 안 돼요.
노란불 안 돼요.
초록불이 돼야죠.

신호등이 없는 길에선
달려도 안 돼요.
뛰어도 안 돼요.
손을 들고 가야죠.

● 무슨 불에 건너요?
● 신호등이 없는 길에서는 어떻게 건너요?

2. 가게에서 무엇을 사요? 말해 봅시다.

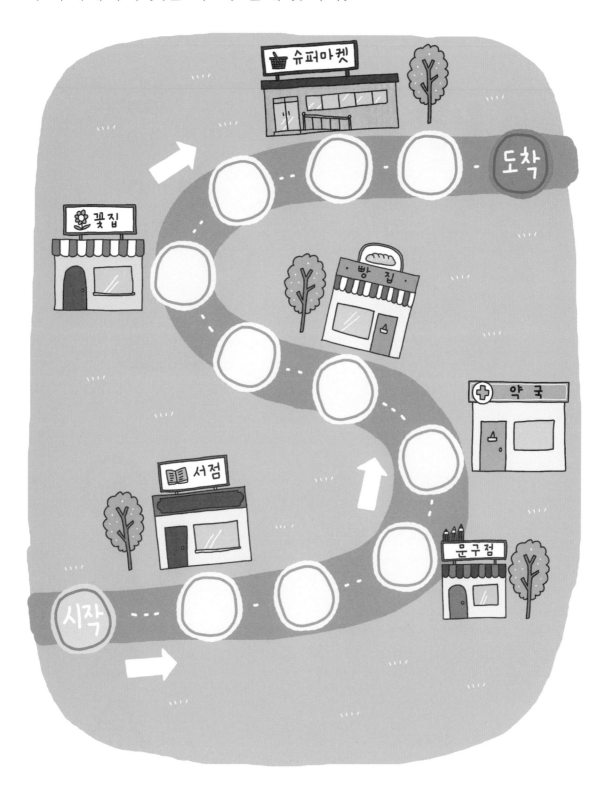

⑩ 생각 넓히기

1. 읽어 봅시다.

2. 연결해 봅시다.

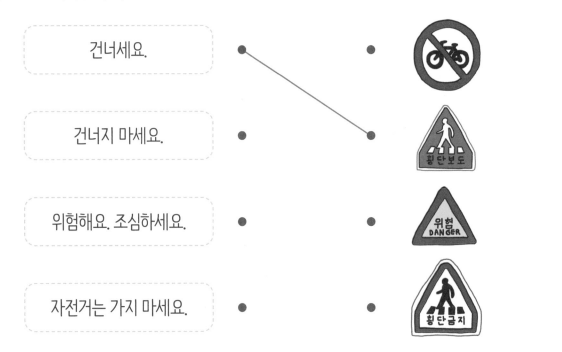

3. 선생님을 보세요. 해 보세요.

5 도서관에서 책을 읽어요

- 여기는 어디예요?
- 도서관에서 무엇을 해요?

① 수업 시간

1. 들어 봅시다.

1) 들어 보세요. 💿 121

2) 들어 보세요. 따라 해 보세요. 💿 122

글씨를 쓰다, 말하다, 듣다, 색종이를 접다

–어 ①

2. 들어 봅시다. 연습해 봅시다.

1) 들어 보세요. 써 보세요. 123

① 읽다 ➡ 읽어   ② 말하다 ➡

③ 접다 ➡   ④ 가다 ➡

2) 들어 보세요. 번호를 쓰세요. 124

3. 옆 친구가 무엇을 해요? 말해 봅시다.

1) 써 보세요.

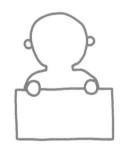

영미
책을 읽다

2) 친구와 이야기해 보세요.

책을 읽어.

영미가 뭐 해?

1. 읽어 봅시다. 💿 125

2. 들어 보세요. 골라 보세요. 💿 126

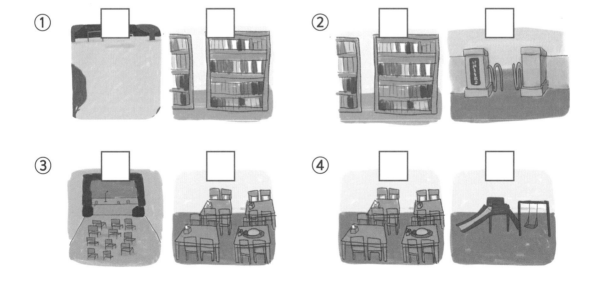

3. 읽고 말해 봅시다.

1) 읽어 보세요. 🔘 127

민수야,
여기가 우리 학교야.
우리 학교에 운동장이 있어.
운동장 옆에 놀이터가 있어.
운동장 앞에 도서관이 있어.

● 저밍이 누구에게 학교를 소개해요?

● 저밍 학교에 무엇이 있어요?

2) 여러분 학교에 무엇이 있어요?
   학교를 소개해 보세요.

③ 방향

1. 들어 봅시다.

1) 들어 보세요. 💿128

2) 들어 보세요. 따라 해 보세요. 💿129

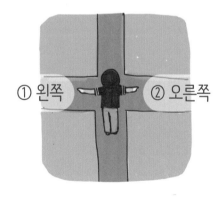  

2. 연습해 봅시다.

1) 들어 보세요. 골라 보세요. 💿130

① ☐ 왼쪽   ② ☐ 이쪽   ③ ☐ 위층
   ☑ 오른쪽   ☐ 저쪽   ☐ 아래층

왼쪽, 오른쪽, 이쪽, 저쪽, 위층, 아래층

 으로

2) 그림을 보세요. 말해 봅시다.

① 도서관이 어디에 있어요?

오른쪽으로 가세요.

② 강당이 어디에 있어요?

----

③ 놀이터가 어디에 있어요?

----

④ 2학년 1반 교실이 어디에 있어요?

----

3. 물건이 어디에 있어요?
   듣고 찾아봅시다.

4 쉬는 시간

1. 읽어 봅시다. 💿 131

④ 공기놀이

① 딱지치기

⑤ 숨바꼭질

② 종이접기

③ 찰흙 놀이

교실에서 숨바꼭질을 하지 마세요.

2. 연습해 봅시다.

1) 무슨 놀이를 해요? 연결해 보세요.

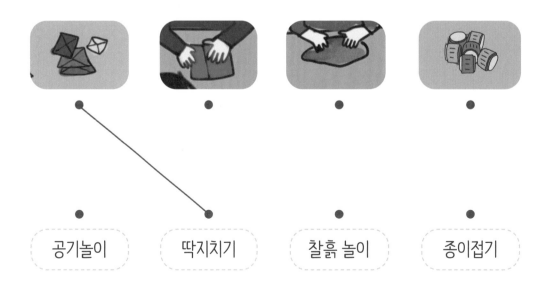

공기놀이　　딱지치기　　찰흙 놀이　　종이접기

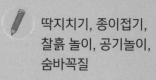

2) 그림을 보세요. 말해 보세요.

①

준서가 운동장에서 딱지치기를 해요.

②

하미가 도서관 ＿＿＿＿＿ ＿＿＿＿＿＿

③

아이다가 ＿＿＿＿＿ ＿＿＿＿＿

④

요우타가 ＿＿＿＿＿ ＿＿＿＿＿＿

3. 학교에서 무엇을 해요? 해 봅시다.

1) 요우타가 학교에서 무엇을 해요? 써 보세요.

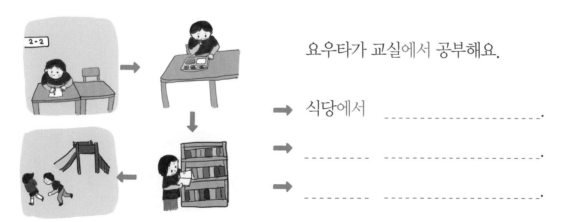

요우타가 교실에서 공부해요.

➡ 식당에서 ＿＿＿＿＿＿＿＿＿＿＿.

➡ ＿＿＿＿＿ ＿＿＿＿＿＿＿＿.

➡ ＿＿＿＿＿ ＿＿＿＿＿＿＿＿.

2) 여러분은 학교에서 무엇을 해요?

⑤ 학교에서 하는 일

1. 들어 봅시다.

1) 들어 보세요. 💿 132

2) 들어 보세요. 따라 하세요. 💿 133

①	②	③	④
책을 빌리다	공부하다	공놀이를 하다	달리기를 하다

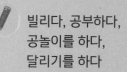

빌리다, 공부하다,
공놀이를 하다,
달리기를 하다

 -으러 가다

2. 연습해 봅시다.

1) 여기에서 무엇을 해요? 써 보세요.

① 도서관 ➡ 책을 읽어요. 책을 빌려요.

② 교실 ➡

③ 놀이터 ➡

④ 운동장 ➡

2) 1-2) 그림을 보세요. 듣고 대답하세요. 💿 134

지민아,
뭐 하러 가?   책을 빌리러 가.

3. 친구와 이야기해 봅시다.

어디에 가? 꽃집에 가.

뭐 하러 가? 꽃을 사러 가.

6 학교생활 말하기

1. 학교에 무엇이 있어요?

1) 듣고 찾아보세요. 💿 135

운	급	우	의	실	점
수	관	놀	약	서	이
국	(실)	우	(술)	터	문
동	건	장	강	식	집
보	음	실	편	악	무
시작 ➡	당	교	(미)	도	터

2) 차례로 쓰세요.

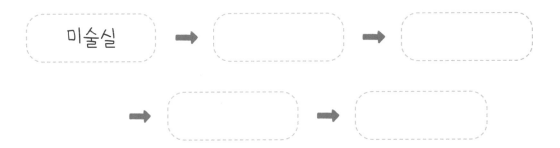

미술실 ➡ ⬚ ➡ ⬚

➡ ⬚ ➡ ⬚

2. 여기에서 무엇을 해요? 카드 게임을 해 봅시다.

7 편지 읽고 쓰기

1. 저밍의 편지입니다. 읽어 봅시다.

1) 읽어 보세요. 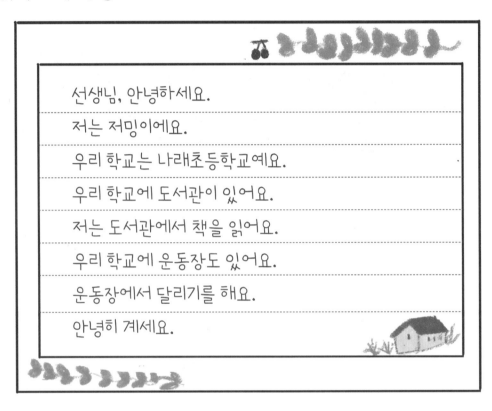 136

> 선생님, 안녕하세요.
>
> 저는 저밍이에요.
>
> 우리 학교는 나래초등학교예요.
>
> 우리 학교에 도서관이 있어요.
>
> 저는 도서관에서 책을 읽어요.
>
> 우리 학교에 운동장도 있어요.
>
> 운동장에서 달리기를 해요.
>
> 안녕히 계세요.

2) 다시 읽으세요. 　　　　　에 쓰세요.

저밍 학교는 　　　　초등학교예요.

저밍은 도서관에서 　　　　을/를 　　　　.

저밍은 운동장에서 　　　　을/를 　　　　.

저밍은 학교에서 열심히 　　　　　　.

2. 편지를 써 봅시다.

1) 학교에 무엇이 있어요? 쓰세요.

| 운동장 | | | |

2) 거기에서 무엇을 해요? 쓰세요.

| 운동장 | 달리기를 해요. |

3) 편지를 써 보세요.

⑧ 동화 읽기

1. 재미있는 이야기를 읽어 봅시다. 🎧 137

아기 돼지 삼 형제

아기 돼지가 세 마리 있어요.
나무 집에서 살아요.

늦대가 아기 돼지 집으로 가요.
"아, 나는 배가 고파."

2. 늑대가 뭐라고 말했을까요? 왜 그렇게 말했을까요?

아기 돼지들이 인사해요.
"늑대야, 안녕?
 우리 집에 뭐 하러 왔어?"

늑대가 말해요.
"   "
----

3. 늑대와 돼지 목소리를 흉내 내며 다시 읽어 봅시다.

⑨ 숨은 글자 찾기

1. 다 같이 노래해 봅시다. 춤을 춰 봅시다. 🔊 138

다 같이 오른손을 안에 넣고 오른손을 밖에 빼고
오른손을 안에 넣고 힘껏 흔들어
손 들고 호키포키 하며
빙빙 돌면서 즐겁게 춤추자

다 같이 왼손을 안에 넣고 왼손을 밖에 빼고
왼손을 안에 넣고 힘껏 흔들어
손 들고 호키포키 하며
빙빙 돌면서 즐겁게 춤추자

2. 색칠해 봅시다.

1) 읽어 보세요. 색칠해 보세요. 💿 139

① 아래로 세 칸 색칠하세요.

② 오른쪽으로 네 칸 색칠하세요.

③ 한 칸 색칠하세요.

④ 왼쪽으로 다섯 칸 색칠하세요.

⑤ 오른쪽으로 세 칸 색칠하세요.

⑥ 아래쪽으로 두 칸 색칠하세요.

⑦ 왼쪽으로 두 칸 색칠하세요.

⑧ 한 칸 색칠하세요.

⑨ 오른쪽으로 세 칸 색칠하세요.

⑩ 아래로 다섯 칸 색칠하세요.

⑪ 한 칸 색칠하세요.

⑫ 위로 다섯 칸 색칠하세요.

2) 무슨 글자예요? 읽어 보세요.

⑩ 생각 넓히기

1. 옛날에는 무엇을 하고 놀았을까요?

2. 여러분은 무슨 놀이를 해요?

3. 재미있게 윷놀이를 해 봅시다.

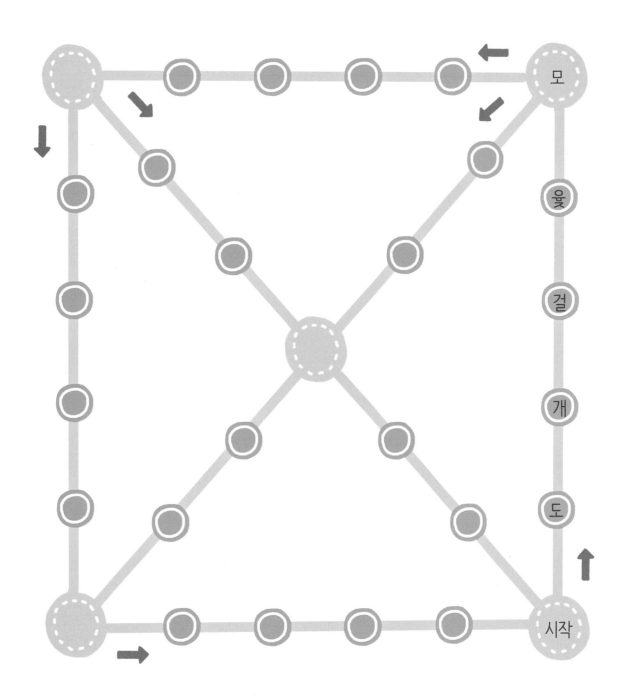

오늘 뭐 해요?

4월 23일 수요일

- 오늘은 무슨 요일이에요?
- 몇 시예요?

① 시간 표현 1

1. 들어 봅시다.

1) 들어 보세요. 💿 140

오후에 뭐 해?

오후에 방과 후 교실에 가.

2) 들어 보세요. 따라 해 보세요. 💿 141

① 오전   ② 오후

③ 아침   ④ 점심   ⑤ 저녁

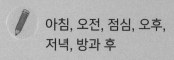

2. 연습해 봅시다.

1) 들어 보세요. 연결해 보세요. 🔘142

① 아침　② 오전　③ 점심　④ 오후　⑤ 저녁

2) 들어 보세요. ○, ✕표 하세요. 🔘143

① 오전	② 오후	③ 아침	④ 점심	⑤ 저녁
(○)	( )	( )	( )	( )

3. 이야기해 봅시다.

아침에 뭐 해?

오후에 ＿＿＿＿＿＿＿.

1. 읽어 봅시다.

교시＼요일	월	화	수	목	금
1	국어	수학	통합	국어	국어
2	국어	수학	창체	국어	국어
3	통합	창체	국어	수학	통합
4	창체	통합	수학	통합	통합
5	안전	통합		통합	

국어 수학   봄   여름

통합

안전한 생활   가을   겨울

1) 요일을 읽어 보세요.

2) 과목을 읽어 보세요.

2. 들어 봅시다.

1) 들어 보세요. 연결해 보세요. 💿 144

① 월요일　　② 화요일　　③ 수요일　　④ 금요일

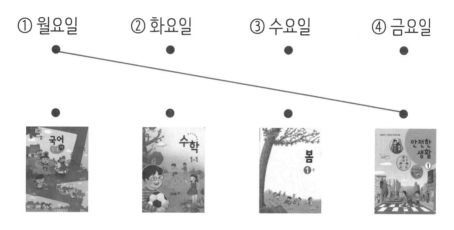

2) 들으세요. 쓰세요. 💿 145

요일 시간	월요일	화요일	③	목요일	금요일
1교시	①	②	창체	④	⑤

3. 우리 반 시간표를 써 봅시다.

요일 시간	월요일	화요일	수요일	목요일	금요일
1교시					
2교시					
3교시					
4교시					
5교시					
6교시					

③ 일주일 생활

1. 들어 봅시다.

1) 들어 보세요. 💿 146

> 월요일에 바이올린 수업 해?

> 아니, 월요일에 바이올린 수업 안 해. 화요일하고 토요일에 해.

2) 읽어 보세요.

저밍의 일주일 생활

월요일	화요일	수요일	목요일	금요일	토요일	일요일
체육관	바이올린 방과 후	로봇 방과 후	체육관	미술	바이올린 방과 후	할머니 집

2. 연습해 봅시다.

1) '저밍의 일주일 생활'을 보세요. 맞는 것에 ☑ 하세요.

☐ 저밍이 월요일하고 금요일에 체육관에 가요.

☐ 저밍이 목요일에 로봇 방과 후를 안 해요.

2) 들어 보세요. 틀린 것을 찾아 X표 하세요. 💿147

지민아, 너 로봇 방과 후 수업 해?

바이올린 수업도 해?

응, 월요일하고 수요일에 해.

나 바이올린 방과 후 수업은 안 해.

월요일	화요일	수요일	목요일	금요일	토요일	일요일
로봇 방과 후	도서관	바이올린 방과 후	로봇 방과 후	체육관	할머니 집	

3. 나의 일주일을 써 봅시다.

월요일	화요일	수요일	목요일	금요일	토요일	일요일

④ 날짜

1. 읽어 봅시다.

1) 읽어 보세요.

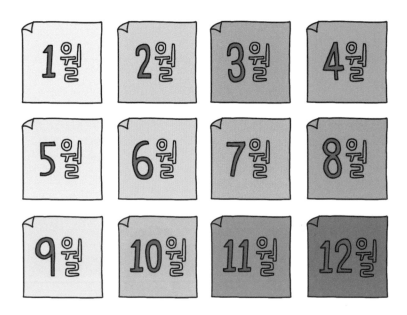

2) 날짜를 읽어 보세요.

칠 월 일 일이에요.

2. 읽어 봅시다.

1) 읽어 보세요. 질문에 답해 보세요.

> 오늘은 5월 26일이에요.
> 요우타의 생일이에요.
> 리암 생일은 8월 8일이에요.
> 지민이의 생일은 11월 4일이에요.
>
> 요우타의 생일은 몇 월 며칠이에요?
> 리암 생일은 몇 월 며칠이에요?
> 지민이의 생일은 몇 월 며칠이에요?

2) 들으세요. 써 보세요. 🔘 148

① 박혜연 선생님 생일

2 월 10 일

② 장위 생일

월   일

③ 유키 생일

월   일

④ 김세현 선생님 생일

월   일

3. 날짜를 말해 봅시다. 부록

⑤ 시간

1. 들어 봅시다. 💿 149

2. 연습해 봅시다.

1) 시간을 물어보세요. 답하세요.

2) 몇 시예요? 말해 봅시다.

①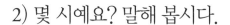

②

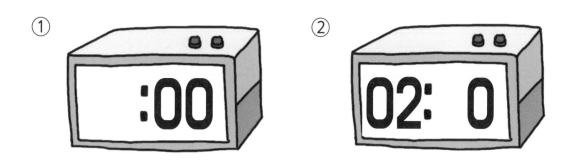

3. 여러 나라의 시간을 말해 봅시다.

우즈베키스탄은
몇 시예요?

(   )시 (   )분이에요.

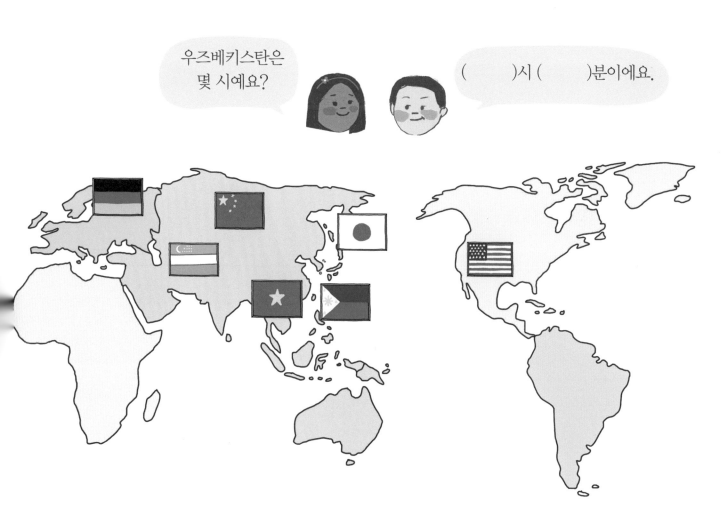

6 생일 알아보기

1. 친구들의 생일을 알아봅시다.

1) 물어보세요. 답하세요.

> <보기>
>
> 선생님: 성우 생일은 언제예요?
> 저밍: 성우 생일은 1월 30일이에요.

2) 들어 보세요. 써 보세요. 💿 150

① 성우 생일	1 월 30 일	② 지민 생일	월 일
③ 요우타 생일	월 일	④ 아이다 생일	월 일

2. 생일을 조사해 봅시다.

 선생님 생일은
몇 월 며칠이에요?

 4월 9일이에요.

선생님 생일	4 월 9 일
내 생일	월 일
( ) 생일	월 일
( ) 생일	월 일
( ) 생일	월 일
( ) 생일	월 일

3. 달력을 보세요. 휴일을 알아봅시다.

〈보기〉	나: 어린이날은 몇 월 며칠이에요? 선생님: 5월 5일이에요.

어린이날	월 일	한글날	월 일
추석	월 일	크리스마스	월 일

⑦ 다섯 고개 놀이 하기

성우

지민

저밍

□ 1월 30일: 생일
□ 3월 1일: 휴업일
□ 금요일: 로봇
□ 수요일: 로봇
□ 1시 40분: 집

□ 6월 29일: 생일
□ 토요일: 할머니
□ 목요일: 로봇
□ 점심: 축구
□ 아침: 도서관

□ 4월 23일: 생일
□ 화요일: 바이올린
□ 금요일: 바이올린
□ 아침: 책
□ 7시: 저녁 식사

1. 읽어 봅시다. 친구의 이름을 찾아 써 봅시다.

1. 나는 3월 1일에 학교에 안 가요.
2. 내 생일은 1월 30일이에요.
3. 나는 수요일하고 금요일에 로봇 방과 후를 해요.
4. 나는 1시 40분에 집에 가요.

①

1. 나는 수요일에 미술 방과 후에 가.
2. 나는 목요일에 로봇 방과 후를 해.
3. 나는 아침에 책을 읽어.
4. 나는 4시에 바이올린 방과 후를 해.

②

2. 들어 봅시다. 친구의 이름을 찾아 써 봅시다. 💿 151

①

②

요우타

아비가일

□ 8월 8일: 생일
□ 화요일: 바이올린
□ 금요일: 국어
□ 금요일: 도서관
□ 2시 40분: 바이올린

□ 7월 27일: 생일
□ 수요일: 미술
□ 목요일: 로봇
□ 아침: 책
□ 4시: 바이올린

3. 다섯 고개 문제를 만들어 봅시다.

① _____

② _____

③ _____

④ _____

⑤ _____

정답:

8 생활 계획표 만들기

1. 요우타의 하루 생활 계획표를 만들어 봅시다.

7시 30분에 아침 식사를 해요.

9시에 학교에서 공부를 해요.

1시에 로봇 방과 후 교실에 가요.

4시에 놀아요. 6시에 저녁 식사를 해요.

8시에 책을 읽어요.

잠자기

〈보기〉

독서
저녁 식사
놀기
로봇 방과 후
학교생활
아침 식사

2. 나의 계획표를 만들어 봅시다.

3. 나의 생활을 써 봅시다.

_____ 시에 일어나요.

----

⑨ 놀이하기

1. 노래를 해 봅시다.  152

오늘은 (1)월 (30)일입니다.
(성우)의 생일입니다.

🎵 생일 축하합니다. 생일 축하합니다.
사랑하는 (성우). 생일 축하합니다. 🎵

2. 말판 놀이를 해 봅시다.

<보기>

선생님: 1시에 뭐 해요?
나: 1시에 책을 읽어요.

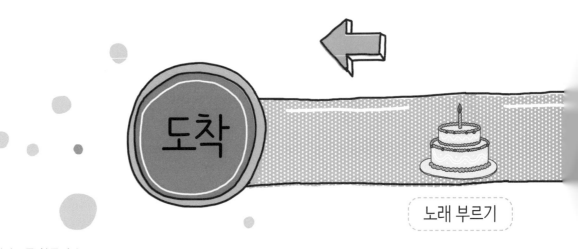

도착

노래 부르기

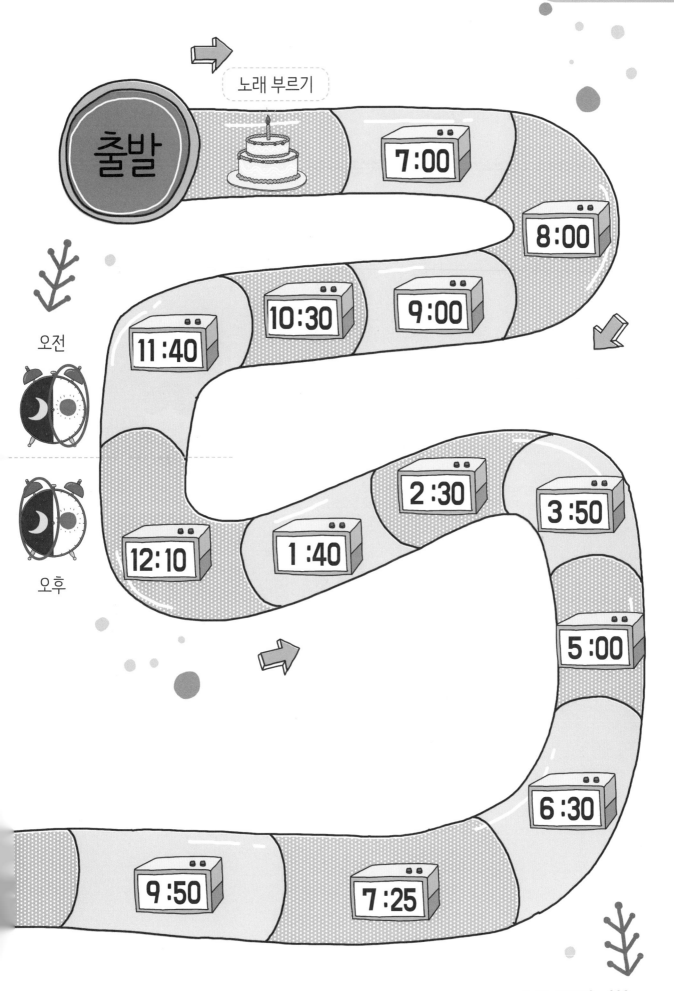

노래 부르기

출발

7:00
8:00
9:00
10:30
11:40

오전

오후

12:10
1:40
2:30
3:50
5:00
6:30
7:25
9:50

1. 친구들이 무엇을 하는지 말해 봅시다.

2. 잘못된 점을 찾아봅시다. 붙임 딱지

3. 해 봅시다.

바르게 들어요.

바르게 읽어요.

바르게 써요.

바르게 발표해요.

놀이터에서 자전거 탔어

- 어제 놀이터에 갔어요?
- 저밍이 뭐 해요?

① 시간 표현 2

1. 들어 봅시다.

1) 들어 보세요. 💿 153

> 오늘이 며칠이야?

> 오늘은 4월 17일이야.

2) 들어 보세요. 연결해 보세요. 💿 154

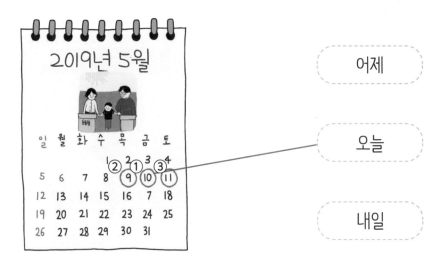

어제

오늘

내일

2. 연습해 봅시다.

1) 들어 보세요. 골라 보세요. 💿 155

① ☐ 오늘   ② ☐ 지난달   ③ ☐ 작년
  ☑ 지난주   ☐ 어제   ☐ 내일

2) 들어 보세요. 색연필로 ○표 해 보세요. 💿 156

오늘

3. 묻고 답해 봅시다.

오늘이 몇 월 며칠이에요?

어제가 몇 월 며칠이에요?

지난달은 몇 월이에요?

② 놀이 장소

1. 읽어 봅시다. 💿 157

① 박물관   ② 동물원   ③ 놀이공원

④ 코끼리   ⑤ 호랑이   ⑥ 기린

2. 연습해 봅시다.

1) 들어 보세요. 붙여 보세요. 💿 158 [붙임 딱지]

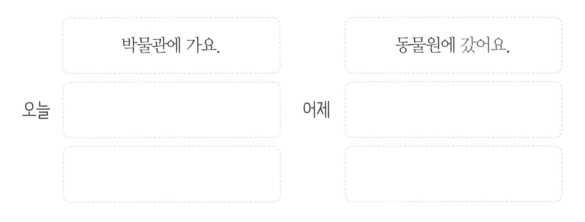

오늘   박물관에 가요.

어제   동물원에 갔어요.

2) 들어 보세요. 연결해 보세요. 💿 159

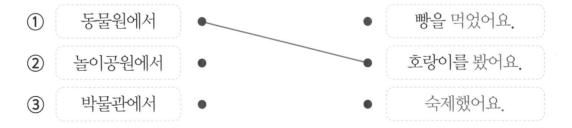

① 동물원에서   빵을 먹었어요.

② 놀이공원에서   호랑이를 봤어요.

③ 박물관에서   숙제했어요.

3. 해 봅시다.

1) 읽어 보세요. 질문에 답해 보세요. 🔘 160

어제 아침에 엄마, 아빠하고 동물원에 갔어요.
코끼리하고 호랑이, 기린을 봤어요.
김밥을 먹었어요. 저녁에 집에 왔어요.

● 요우타가 동물원에서 무엇을 봤어요?

2) 그림을 보세요. 말해 보세요.

요우타가 엄마, 아빠하고
동물원에 갔어요.
동물원에서……

③ 놀이와 운동 1

1. 들어 봅시다.

1) 들어 보세요. 🔘 161

> 자전거 탈 수 있어?

> 네, 탈 수 있어요.

① 자전거 타다

2. 연습해 봅시다.

1) 들어 보세요. 골라 보세요. 🔘 163

①

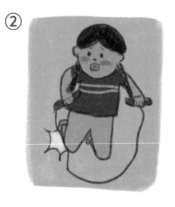

②

☑ 성우는 그네를 탈 수 있어요.

☐ 아비가일은 줄넘기를 할 수 있어요.

☐ 성우는 그네를 탈 수 없어요.

☐ 아비가일은 줄넘기를 할 수 없어요.

자전거 타다, 그네 타다,
미끄럼틀 타다, 시소 타다,
줄넘기하다, 훌라후프하다

–을 수 있어요/없어요

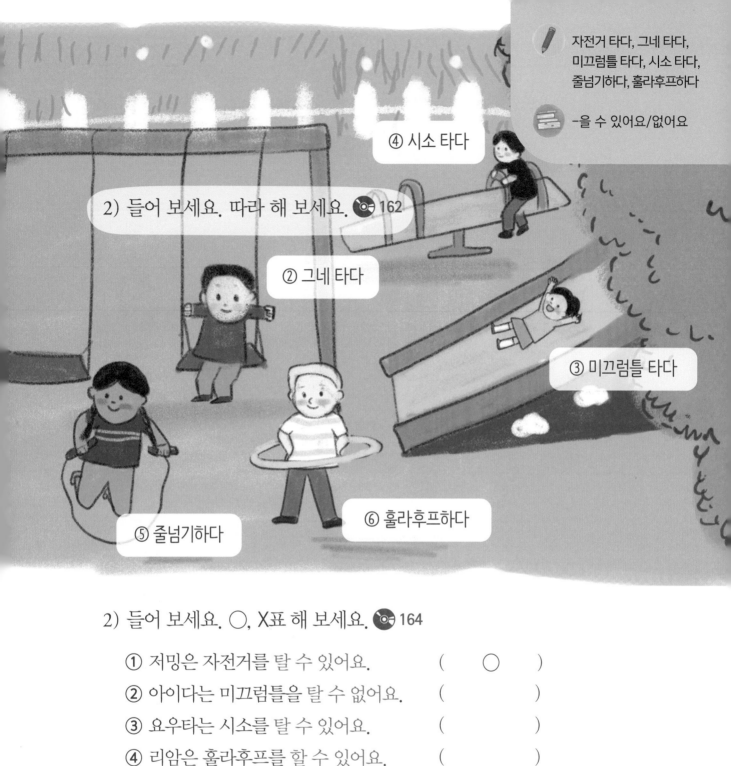

④ 시소 타다

2) 들어 보세요. 따라 해 보세요. 🔘 162

② 그네 타다

③ 미끄럼틀 타다

⑤ 줄넘기하다

⑥ 훌라후프하다

2) 들어 보세요. ○, X표 해 보세요. 🔘 164

① 저밍은 자전거를 탈 수 있어요.　　　(　　○　　)
② 아이다는 미끄럼틀을 탈 수 없어요.　(　　　　)
③ 요우타는 시소를 탈 수 있어요.　　　(　　　　)
④ 리암은 훌라후프를 할 수 있어요.　　(　　　　)

3. 1의 그림을 보고 친구들과 함께 이야기해 봅시다.

훌라후프할 수 있어?

어, 할 수 있어.
너는?

친구　　나

④ 놀이와 운동 2

1. 읽어 봅시다. 🔊 165

①
(그림) 그리다

②
노래하다

③
피아노 치다

④
태권도하다

⑤
수영하다

⑥
컴퓨터하다

2. 연습해 봅시다.

1) 들어 보세요. 따라 해 보세요. 🔊 166

2) 들어 보세요. 연결해 보세요. 🔊 167

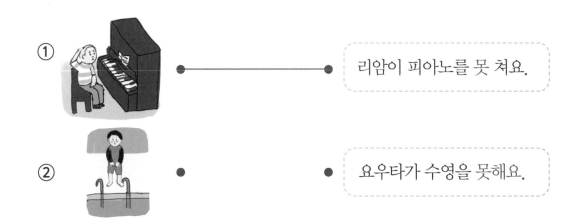

①   ● ——————— ●   리암이 피아노를 못 쳐요.

②   ●   ●   요우타가 수영을 못해요.

(그림) 그리다, 노래하다,
피아노 치다, 태권도하다,
수영하다, 컴퓨터하다

 못

3. 읽어 봅시다. 질문에 답해 봅시다. 💿168

나는 피아노를 칠 수 있어요.
학교 방과 후 수업에서 배웠어요.
동생은 아기예요. 피아노를 못 쳐요.

● 누가 피아노를 칠 수 있어요?

☐ 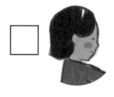   ☐

⑤ 할 수 있는 일

1. 들어 봅시다. 💿 169

어제 오후에 뭐 했어?

놀이터에서 자전거 탔어.

2. 연습해 봅시다.

1) 들어 보세요. 골라 보세요. 💿 170

① ☑   ☐

② ☐   ☐

2) 들어 보세요. 질문에 답해 보세요.  171

● 저밍은 무엇을 못 그려요? ○표 하세요.

3. 무엇을 할 수 있어요? 친구하고 이야기해 봅시다.

그림을 그리다

나 수영할 수 있어.
수영 잘해.

방과 후 수업에서
배웠어?

피아노 치다

아니, 엄마한테 배웠어.

노래하다

수영하다

컴퓨터하다

태권도하다

6 할 수 있는 일 발표하기

1. 친구는 무엇을 할 수 있어요? 발표해 봅시다.

1) 질문해 보세요. 대답해 보세요.

	친구 이름	할 수 있어요
자전거 타다		
미끄럼틀 타다		
그네 타다		
시소 타다		
줄넘기하다		
훌라후프하다		

	친구 이름	할 수 있어요
그림 그리다		
노래 부르다		
피아노 치다		
수영하다		
태권도하다		
컴퓨터하다		

2) 발표를 준비해 보세요.

제 친구 ○○○는
_____을 수 있어요.

3) 발표하세요.

2. 한 일을 써 봅시다.

1) 생각해 보세요.

● 어디에 갔어요?

☐ 놀이터　　☐ 놀이공원　　☐ 동물원　　☐ 박물관

● 언제 갔어요?

☐ 어제　　☐ 지난주　　☐ 지난달　　☐ 작년

● 거기에서 뭐 했어요?

미끄럼틀을 탔어요.

코끼리를 봤어요.

2) 써 보세요.

나는 지난주에

⑦ 연극하기

1. 아이다 공주 생일입니다. 친구들이 생일 파티에 갔습니다.

생일 파티

2. 역할을 나누어 봅시다.

3. 해 봅시다.

1) 연습해 보세요. 🔊 172

아이다	안녕? 오늘은 내 생일이야.
친구들	생일 축하해, 아이다 공주님.
아비가일	나는 노래를 할 수 있어.
	생일 축하합니다. 생일 축하합니다.
	사랑하는 아이다, 생일 축하합니다.
아이다	잘한다. 고마워.
리암	나는 아이다 공주 얼굴을 그렸어.
아이다	와! 정말 예쁘다.
저밍	나는 피아노를 칠 수 있어.
아이다	정말 멋있어. 고마워.

오늘은 내 생일이야.
친구들하고 생일 파티를 해.

나는 노래를
할 수 있어.

공주님

나는 피아노를
칠 수 있어.

나는 그림을
그릴 수 있어.

왕자님

2) 연극을 해 보세요.

⑧ 이야기 읽기

1. 읽어 봅시다.

1) 읽어 보세요. 질문에 답해 보세요. 💿 173

어린이날에 아빠, 엄마, 동생하고
같이 놀이공원에 갔어요.
재미있게 놀았어요.
햄버거를 먹었어요. 콜라도 마셨어요.
저녁에 집에 왔어요. 정말 재미있었어요.

● 요우타가 놀이공원에서 뭐 했어요?

☐ 숙제했어요.　　☐ 놀았어요.　　☐ 그림 그렸어요.

2) 큰 소리로 읽어 보세요.

2. 이야기 순서를 써 봅시다.

햄버거하고 콜라를 먹었어요.

저녁에 집에 왔어요.

놀이공원에서 재미있게 놀았어요.

요우타는 아빠, 엄마하고 놀이공원에 갔어요. 1

3. 2의 그림을 보고 요우타의 이야기를 해 봅시다.

9 놀이하기

1. 노래해 봅시다.

1) 들어 보세요. 연결해 보세요. 🔘 174

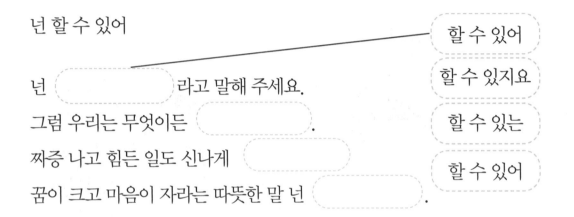

넌 할 수 있어 ──────────────── 할 수 있어

넌 [　　　　] 라고 말해 주세요.　　할 수 있지요

그럼 우리는 무엇이든 [　　　　].　　할 수 있는

짜증 나고 힘든 일도 신나게 [　　　　]　　할 수 있어

꿈이 크고 마음이 자라는 따뜻한 말 넌 [　　　　].

2) 노래해 보세요.

2. 말판 놀이를 해 봅시다.

도착

1. 박물관 관람 예절입니다. 읽어 봅시다.

한 줄로 들어가세요.

만지지 마세요.

사진을 찍지 마세요.

박물관에서
조용히 하세요.

2. 친구들이 박물관 예절을 잘 지켰나요?
칭찬 붙임 딱지를 붙여 봅시다. 붙임 딱지

① 박물관에 한 줄로 들어갔어요.

😊

② 공룡 뼈를 만졌어요.

③ 박물관에서 사진을 찍었어요.

④ 박물관에서 조용히 했어요.

3. 친구들과 같이 이야기해 봅시다.

1) 박물관에 갔어요?
무슨 박물관이에요?
어디에 있어요?

2) 박물관에서 무엇을 봤어요?

3) 박물관 예절이 있어요?
이야기해 보세요.

8

음식을 골고루 먹겠습니다

학습 목표
• 원하는 것을 말할 수 있다.
• 반말로 명령할 수 있다.
• 계획을 발표할 수 있다.

• 무슨 음식을 좋아해요?
• 급식을 다 먹었어요?

1 음식

1. 들어 봅시다.

1) 들어 보세요. 💿 175

뭐 먹고 싶어?

과자 먹고 싶어.

2. 연습해 봅시다.

1) 들어 보세요. 골라 보세요. 💿 177

①

②

③

	☑ 과일 먹고 싶어요.		☐ 야채 먹고 싶어요.		☐ 요구르트 마시고 싶어요.
	☐ 고기 먹고 싶어요.		☐ 고기 먹고 싶어요.		☐ 주스 마시고 싶어요.

2) 들어 보세요. 따라 해 보세요. 176

④ 과일

⑤ 요구르트

② 고기

⑥ 야채

③ 주스

① 과자

2) 들어 보세요. 1에서 연결해 보세요. 178

3. 무슨 음식 먹고 싶어요? 반 친구들에게 물어봅시다. 붙임 딱지

친구 _____

친구 _____

② 급식

1. 읽어 봅시다. 💿 179

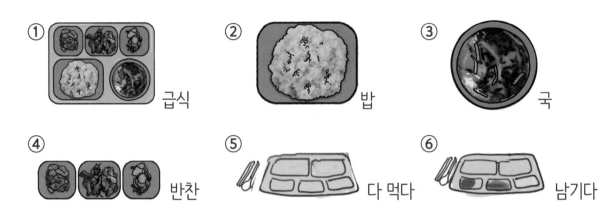

① 급식
② 밥
③ 국
④ 반찬
⑤ 다 먹다
⑥ 남기다

2. 연습해 봅시다.

1) 들어 보세요. 연결해 보세요. 💿 180

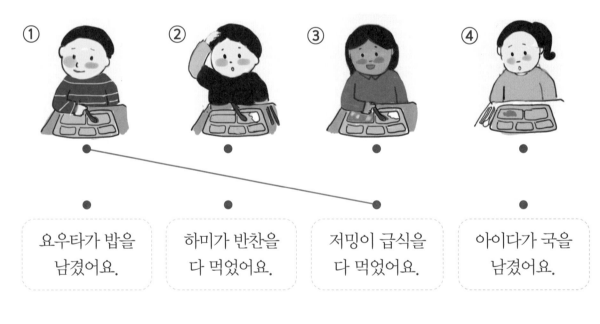

| 요우타가 밥을 남겼어요. | 하미가 반찬을 다 먹었어요. | 저밍이 급식을 다 먹었어요. | 아이다가 국을 남겼어요. |

2) 요우타하고 아이다가 음식을 남겼어요. 무슨 말 하고 싶어요? 💿 181

①
[V] 요우타야, 밥을 다 먹어.
[ ] 요우타야, 자전거를 타.

②
[ ] 아이다야, 동물원에 가.
[ ] 아이다야, 국을 다 먹어.

3. 해 봅시다.

1) 읽어 보세요. 질문에 답해 보세요. 💿 182

오늘 급식에
밥하고 국, 야채가 나왔다.
나는 고기를 먹고 싶었다.
그런데 고기가 안 나왔다.
급식을 남기고 싶었다.

● 아비가일은 오늘 무슨 음식을 먹고 싶었어요?

☐  ☐   ☐

2) 아비가일한테 무슨 말을 하고 싶어요? 써 보세요.

아비가일아,

----

③ 하루 생활 1

1. 들어 봅시다.

1) 들어 보세요. 💿 183

> 엄마, 성우하고 놀이터에서 놀고 싶어요.

> 지금 나가지 마. 밥 먹어.

2) 들어 보세요. 따라 해 보세요. 💿 184

① 일찍 일어나다

② 늦게 일어나다

③ 음식을 골고루 먹다

④ 숙제 먼저 하다

⑤ 일찍 자다

⑥ 늦게 자다

일찍 일어나다, 늦게 일어나다, 음식을 골고루 먹다, 숙제 먼저 하다, 일찍 자다, 늦게 자다 -지 마

2. 들어 보세요. 골라 봅시다.

1) 들어 보세요. 골라 보세요. 💿185

①

②

③

☑ 일찍 일어나!   ☐ 숙제 먼저 해!   ☐ 늦게 일어나지 마!

☐ 일찍 자!   ☐ 음식을 골고루 먹어!   ☐ 늦게 자지 마!

2) 들어 보세요. 골라 보세요. 💿186

① ☐ 가   ☑ 나   ② ☐ 가   ☐ 나

3. 역할극을 해 봅시다.

엄마, 자고 싶어요.

지금 몇 시야? 일찍 일어나! 밥 먹어!

①

②

④ 하루 생활 2

1. 읽어 봅시다. 💿 187

① 이를 닦다

② 손을 씻다

③ 발을 씻다

④ 머리를 감다

⑤ 세수하다

⑥ 샤워하다

2. 연습해 봅시다.

1) 들어 보세요. 해 보세요. 💿 188

2) 위의 그림을 보세요. 연결해 보세요. 💿 189

빈센트가 이를 닦습니다.

아비가일이 발을 씻습니다.

저밍이 세수합니다.

3. 해 봅시다.

1) 읽어 보세요. 질문에 답해 보세요. 💿 190

아이다 동생이
이를 안 닦습니다.
아이다가 말합니다.
"이 닦아!"
동생이 말합니다.
"나 네 살이야. 이 못 닦아!"

● 누가 이를 안 닦습니까?

☐   ☐

2) 1)을 정확한 발음으로 읽어 보세요.

이를 안 닦습니다.　　　　　　　동생이 말합니다.

5 계획

1. 들어 봅시다.

1) 들어 보세요. 💿 191

저는 야채를 잘 안 먹습니다.
앞으로는 음식을 골고루 먹겠습니다.

2) 들어 보세요. 연결해 보세요. 💿 192

①

저는 숙제 먼저 하겠습니다.

나는 숙제 먼저 해요.

②

나는 손을 잘 씻어요.

저는 손을 잘 씻겠습니다.

2. 연습해 봅시다.

1) 들어 보세요. 골라 보세요. 193

2) 저밍하고 촘푸도 발표했어요. 어떻게 했어요? 해 보세요.

3. 여러분은 어때요? 앞으로 어떻게 하고 싶어요?

> 저는 아침에 늦게 일어납니다.
> 앞으로는 _____ .

> 저는 손을 잘 안 씻습니다.
> 앞으로는 _____ .

6 계획 발표하기

1. 말해 봅시다.

1) 나는 어때요?

	네	아니요
1. 음식을 골고루 먹어요?	( )	( )
2. 급식을 다 먹어요?	( )	( )
3. 주스를 잘 마셔요?	( )	( )
4. 야채를 잘 먹어요?	( )	( )
5. 아침에 일찍 일어나요?	( )	( )
6. 숙제 먼저 해요?	( )	( )
7. 밤에 일찍 자요?	( )	( )
8. 이를 잘 닦아요?	( )	( )
9. 손을 잘 씻어요?	( )	( )

2) 발표를 준비해 보세요.

저는 급식을 남깁니다.
그리고 밤에 늦게 잡니다.
앞으로는 ＿＿＿＿＿＿＿.

3) 발표해 보세요.

2. 발표문을 써 봅시다.

1) 메모해 보세요.

앞에서 '네' 한 것이 뭐예요?

앞에서 '아니요' 한 것이 뭐예요?

2) 써 보세요.

저는

그리고

그런데

앞으로는

⑦ 연극하기

1. 숲속 나라입니다.
   동물 친구들이 과자 집으로 갑니다.
2. 역할을 나누어 봅시다.

급식 다 먹었어.
어제 8시에 잤어.
손톱 안 깎았어.

급식 다 먹었어.
어젯 밤 11시에 잤어.
어제 손톱 깎았어.

급식 다 먹었어.
어제 9시에 잤어.
오늘 아침에 손톱 깎았어.

과자 집에 가고 싶어?
그럼 내 질문에 대답해!

북극곰

원숭이

용

다람쥐

3. 해 봅시다.

1) 연습해 보세요. 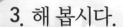 194

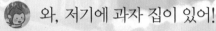 와, 저기에 과자 집이 있어!

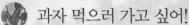 과자 먹으러 가고 싶어!

크르릉. 급식 다 먹었어?

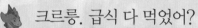 다 먹었어.

좋아! 가!

크르릉. 어제 일찍 잤어?

 일찍 잤어.

 11시에 잤어.

원숭이하고 북극곰은 가! 다람쥐는 가지 마!

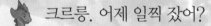 엉엉.

크르릉. 손톱 깎았어?

오늘 아침에 깎았어.

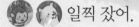 안 깎았어.

원숭이는 가! 북극곰은 가지 마!

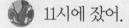 엉엉.

야호!

2) 연극을 해 보세요.

⑧ 이야기 읽기

1. 읽어 봅시다.

1) 들어 보세요. 💿 195

일찍 일어나!

엄마가 말했습니다.
"일찍 일어나!"
청개구리는 늦게 일어났습니다.

다 먹어!

엄마가 말했습니다.
"다 먹어!"
청개구리는 밥을 남겼습니다.

먹어!

엄마가 말했습니다.
"이 과자를 먹어!"
청개구리는 그 과자를 먹고 싶었습니다.

2) 큰 소리로 읽어 보세요.

2. 청개구리가 어떻게 할까요? 말해 봅시다.

3. 청개구리가 과자를 먹었을까요? 안 먹었을까요?

1. 노래해 봅시다. ○에 무슨 말이 들어가요? 🎧 196

둥근 해가 떴습니다.
자리에서 일어나서
제일 먼저 ○를 닦자.
윗니 아래 ○닦자.

○○○ 때는 깨끗이
이쪽저쪽 목 닦고
머리 빗고 옷을 입고
거울을 봅니다.

출발

2. 말판 놀이를 해 봅시다.

밥을 남겨요.

47

45

43

37

머리를
감아요.

39

41

밤에
늦게 자요.

35

반찬을 골고루
먹어요.

33

31

25

발을
안 씻어요.

27

숙제
먼저 해요.

29

이를 안 닦아요.

13

23

15

일찍 일어나요.

세수를
안 해요.

17

19

11

급식을
다 먹어요.

9

7

1

샤워해요.

3

5

손을 씻어요.

⑩ 생각 넓히기

1. 읽어 봅시다.

2. 말해 봅시다. 친구들이 어떻게 했어요? 급식 예절을 잘 지켰어요?

① 빈센트가 손을 안 씻었어요.

②

③

④

3. 친구들과 같이 이야기해 봅시다.

1) 학교에서 급식을 먹어요?
무슨 음식을 먹어요?

2) 급식 예절이 있어요?
이야기하세요.

한글의 자음자와 모음자

1. ㅏ, ㅓ

Track 2
① 아
② 어

2. ㅗ, ㅜ

Track 4
① 오
② 우

3. ㅡ, ㅣ

Track 6
① 이
② 으

4. ㅐ, ㅔ

Track 8
① 에
② 애

5. ㅑ, ㅕ

Track 10
① 여
② 야
③ 여

6. ㅛ, ㅠ

Track 12

① 요
② 유
③ 요

7. 낱말

Track 14
① 우유
② 아이
③ 여우
④ 요요
⑤ 오이
⑥ 오

16. 받침 ㅁ

Track 24
① 솜
② 감
③ 곰
④ 섬

17. 받침 ㅇ

Track 26
① 강
② 방
③ 궁
④ 상

18. 받침 ㄴ, ㄹ

Track 28
① 눈

② 산

③ 발

④ 말

19. 받침 ㅂ, ㅍ

Track 30

① 집

② 밥

③ 입

④ 숲

20. 받침 ㄱ, ㄲ, ㅋ

Track 32

① 숙

② 밖

③ 억

④ 각

21. 받침 ㄷ, ㅅ, ㅆ, ㅈ, ㅊ, ㅌ, ㅎ

Track 34

① 옷

② 윷

③ 젖

④ 솥

23. ㅐ, ㅔ

Track 37

① 애

② 에

③ 에

④ 애

24. ㅘ, ㅝ

Track 39

① 와

② 워

③ 와

④ 워

25. ㅟ, ㅢ

Track 41

① 위

② 의

③ 위

④ 의

26. ㅙ, ㅚ, ㅞ

Track 43

① 웨

② 왜

③ 외

④ 왜

27. 바르게 읽기

Track 44

① 할 아 버 지(한 음절씩 끊어서)/할아버지

② 목 욕(한 음절씩 끊어서)/목욕

③ 국 어(한 음절씩 끊어서)/국어

④ 음 악(한 음절씩 끊어서)/음악

⑤ 학 원(한 음절씩 끊어서)/학원

⑥ 군 인(한 음절씩 끊어서)/군인

Track 45

① 옷 이(한 음절씩 끊어서)/옷이

② 꽃 을(한 음절씩 끊어서)/꽃을

③ 집 에(한 음절씩 끊어서)/집에

④ 앞 으 로(한 음절씩 끊어서)/앞으로

⑤ 있 어(한 음절씩 끊어서)/있어

⑥ 진 섭 아(한 음절씩 끊어서)/진섭아

1단원 · 저는 아비가일이에요

1. 이름

Track 51

① 아비가일이에요.

② 저밍이에요.

③ 하미예요.

④ 아이다예요.

Track 52

① 박혜연 선생님: 이름이 뭐예요?

저밍: 저밍이에요.

② 박혜연 선생님: 이름이 뭐예요?

빈센트: 빈센트예요.

③ 박혜연 선생님: 이름이 뭐예요?

촘푸: 촘푸예요.

④ 박혜연 선생님: 이름이 뭐예요?

리암: 리암이에요.

2. 나라 이름 1

Track 53

① 베트남

② 일본

③ 필리핀

④ 중국

⑤ 키르기스스탄

⑥ 캄보디아

Track 54

저밍: 중국에서 왔어요.

아비가일: 필리핀에서 왔어요.

3. 나라 이름 2

Track 58

① 자르갈이에요. 몽골에서 왔어요.

② 촘푸예요. 태국에서 왔어요.

Track 59

① 동네 아저씨: 이름이 뭐예요?

자르갈: 자르갈이에요.

동네 아저씨: 어느 나라에서 왔어요?

자르갈: 몽골에서 왔어요.

② 마트 아주머니: 이름이 뭐예요?

빈센트: 빈센트예요.

마트 아주머니: 어느 나라에서 왔어요?

빈센트: 케냐에서 왔어요.

4. 숫자 1

Track 60

① 일 학년 일 반

② 이 학년 삼 반

③ 삼 학년 이 반

④ 사 학년 일 반

⑤ 오 학년 이 반

⑥ 육 학년 사 반

Track 61

① 교장 선생님: 몇 학년 몇 반이에요?

아비가일: 이 학년 이 반이에요.

② 교장 선생님: 몇 학년 몇 반이에요?

성우: 이 학년 일 반이에요.

5. 우리 반

Track 64

① 요우타: 요우타입니다. 2학년 1반입니다.

② 아비가일: 아비가일입니다. 2학년 2반입
니다.

Track 65

① 하미: 저는 하미입니다.

② 저밍: 저는 저밍입니다.

Track 66

요우타: 저는 요우타입니다. 나래초등학교 2학년 2반입니다. 일본에서 왔어요. 반갑습니다.

2단원 · 이건 뭐예요?

1. 교실 물건

Track 71

① 책상이에요.

② 의자예요.

③ 책이에요.

④ 공책이에요.

⑤ 창문이에요.

⑥ 칠판이에요.

Track 72

① 리암: 이건 뭐예요?

김세현 선생님: 의자예요.

② 아이다: 이건 뭐예요?

김세현 선생님: 책이에요.

③ 지민: 이건 뭐예요?

김세현 선생님: 공책이에요.

2. 학용품

Track 74

① 요우타: 이건 뭐예요?

박혜연 선생님: 연필이에요.

② 요우타: 이건 뭐예요?

박혜연 선생님: 필통이에요.

③ 요우타: 이건 뭐예요?

박혜연 선생님: 스케치북이에요.

④ 요우타: 이건 뭐예요?

박혜연 선생님: 지우개예요.

3. 이것, 그것, 저것

Track 77

① 박혜연 선생님: 이것은 누구 필통이에요?

하미: 그것은 리암 필통이에요.

② 박혜연 선생님: 이것은 누구 지우개예요?

③ 박혜연 선생님: 이것은 누구 공책이에요?

④ 박혜연 선생님: 이것은 누구 크레파스예요?

⑤ 박혜연 선생님: 이것은 누구 가방이에요?

⑥ 박혜연 선생님: 이것은 누구 스케치북이에요?

Track 78

① 아비가일: 그것은 누구 필통이에요?

리암: 이것은 아이다 필통이에요.

② 아비가일: 저것은 누구 가방이에요?

성우: 저것은 리암 가방이에요.

③ 아비가일: 그것은 누구 책이에요?

지민: 이것은 성우 책이에요.

④ 아비가일: 저것은 누구 책상이에요?

저밍: 저것은 하미 책상이에요.

4. 숫자 2

Track 80

① 성우: 공책이 몇 권이에요?

아이다: 세 권이에요.

② 성우: 연필이 몇 자루예요?

아이다: 여덟 자루예요.

③ 성우: 지우개가 몇 개예요?

아이다: 여섯 개예요.

④ 성우: 친구가 몇 명이에요?

아이다: 일곱 명이에요.

5. 물건 주인

Track 82

① 이건 제 연필이 아니에요.

② 이건 제 지우개가 아니에요.

③ 이건 제 크레파스가 아니에요.

④ 이건 제 필통이 아니에요.

⑤ 이건 제 공책이 아니에요.

3단원 · 음악실은 어디에 있어요?

1. 있어요, 없어요

Track 89

① 필통이 있어요?

② 크레파스가 있어요?

③ 책이 있어요?

④ 스케치북이 있어요?

Track 90

① 공책이 있어요?

② 필통이 있어요?

③ 스케치북이 있어요?

④ 크레파스가 있어요?

2. 위치

Track 92

① 필통이 책상 아래에 있어요.

② 가방이 리암 옆에 있어요.

③ 공책이 가방 안에 있어요.

④ 하미가 리암 뒤에 있어요.

Track 93

① 의자 위에 책이 있어요.

② 의자 뒤에 스케치북이 있어요.

③ 의자 옆에 필통이 있어요.

④ 의자 아래에 공책이 있어요.

3. 교실 이름

Track 96

① 저밍: 미술실이 어디에 있어요?

　선생님: 교무실 옆에 있어요.

② 저밍: 보건실이 어디에 있어요?

　선생님: 미술실 앞에 있어요.

③ 저밍: 음악실이 어디에 있어요?

　선생님: 2학년 1반 교실 앞에 있어요.

④ 저밍: 화장실이 어디에 있어요?

　선생님: 교무실 앞에 있어요.

4. 교실 위치

Track 98

우리 학교예요.

교무실은 1층에 있어요. 보건실도 1층에 있어요.

1학년 1반 교실은 2층에 있어요. 미술실도 2층에 있어요.

2학년 1반 교실은 3층에 있어요. 음악실도 3층에 있어요.

5. 동작을 나타내는 말 1

Track 100

성우는 자요.

지민이는 숙제해요.

저밍은 이야기해요.

하미도 이야기해요.

아비가일은 청소해요.

요우타는 놀아요.

리암도 놀아요.

4단원 · 서점에 가요

1. 가게

Track 105
① 서점에 가요.
② 꽃집에 가요.
③ 빵집에 가요.
④ 슈퍼마켓에 가요.
⑤ 약국에 가요.
⑥ 문구점에 가요.

Track 106
① 리암: 어디에 가요?
　 지민: 꽃집에 가요.
② 리암: 어디에 가요?
　 아비가일: 문구점에 가요.
③ 리암: 어디에 가요?
　 저밍: 약국에 가요.
④ 리암: 어디에 가요?
　 요우타: 슈퍼마켓에 가요.

2. 동작을 나타내는 말 2

Track 107
① 물건을 사다
② 빵을 먹다
③ 꽃을 주다
④ 우유를 마시다
⑤ 카드를 쓰다
⑥ 책을 읽다

3. 우리 집 앞

Track 111
빵집 옆에 서점이 있어요.
꽃집 뒤에 약국이 있어요.

슈퍼마켓 앞에 횡단보도가 있어요.
횡단보도 옆에 신호등이 있어요.
서점 앞에 육교가 있어요.

Track 112
① 하미: 횡단보도를 건너세요.
② 성우: 이름을 쓰세요.
③ 지민: 안녕히 가세요.
④ 선생님: 책을 읽으세요.

5. 교통 신호

Track 116
① 건너세요.
② 가지 마세요.
③ 자지 마세요.
④ 뛰지 마세요.

6. 우리 동네 설명하기

Track 117
우리 동네예요.
서점 옆에 꽃집이 있어요.
꽃집 앞에 횡단보도가 있어요.
약국 앞에 육교가 있어요.
빨간불이에요.
건너지 마세요.

5단원 · 도서관에서 책을 읽어요

1. 수업 시간

Track 122
① 요우타: 성우야, 뭐 해?
　 성우: 책을 읽어.
② 요우타: 하미야, 뭐 해?

하미: 글씨를 써.

③ 요우타: 리암아, 뭐 해?

리암: 말해.

④ 요우타: 아이다야, 뭐 해?

지민: 들어.

⑤ 요우타: 저밍아, 뭐 해?

아이다: 색종이를 접어.

⑥ 요우타: 아비가일아, 뭐 해?

아비가일: 화장실에 가.

Track 123

① 성우가 책을 읽어.

② 리암이 말해.

③ 저밍이 색종이를 접어.

④ 아비가일이 화장실에 가.

Track 124

① 요우타: 지금 뭐 해?

아비가일: 일기를 써.

② 요우타: 지금 뭐 해?

리암: 음악을 들어.

③ 요우타: 지금 뭐 해?

지민: 색종이를 접어.

④ 요우타: 지금 뭐 해?

저밍: 책을 읽어.

2. 학교 소개

Track 126

① 저밍: 여기가 어디야?

아비가일: 운동장이야.

② 저밍: 여기가 어디야?

아비가일: 도서관이야.

③ 저밍: 여기가 어디야?

아비가일: 식당이야.

④ 저밍: 여기가 어디야?

아비가일: 놀이터야.

Track 127

민수야,

여기가 우리 학교야.

우리 학교에 운동장이 있어.

운동장 옆에 놀이터가 있어.

운동장 앞에 도서관이 있어.

3. 방향

Track 130

① 아이다: 요우타가 오른쪽으로 가요.

② 아이다: 요우타가 이쪽으로 가요.

③ 아이다: 요우타가 위층으로 가요.

5. 학교에서 하는 일

Track 134

① 지민아, 뭐 하러 가?

② 성우야, 뭐 하러 가?

③ 리암아, 뭐 하러 가?

④ 하미야, 뭐 하러 가?

6. 학교생활 말하기

Track 135

오른쪽으로 세 칸 가세요.

위로 세 칸 가세요.

왼쪽으로 두 칸 가세요.

아래로 두 칸 가세요.

오른쪽으로 세 칸 가세요.

위로 네 칸 가세요.

왼쪽으로 네 칸 가세요.

아래로 세 칸 가세요.

오른쪽으로 두 칸 가세요.

위로 두 칸 가세요.

오른쪽으로 세 칸 가세요.

아래로 네 칸 가세요.

왼쪽으로 한 칸 가세요.

위로 네 칸 가세요.

왼쪽으로 세 칸 가세요.

6단원 · 오늘 뭐 해요?

1. 시간 표현 1

Track 142

아비가일 ① 나는 아침에 줄넘기를 해.

② 나는 오전에 학교에 가.

③ 나는 점심에 축구를 해.

④ 나는 오후에 방과 후 교실에 가.

⑤ 나는 저녁에 책을 읽어.

Track 143

아비가일 ① 나는 오전에 학교에 가요.

② 나는 오후에 방과 후 교실에 가요.

③ 나는 아침에 공부를 해요.

④ 나는 점심에 공기놀이를 해요.

⑤ 나는 저녁에 책을 읽어요.

2. 시간표

Track 144

리암: ① 나는 월요일에 안전한 생활 공부를 해.

② 나는 화요일에 수학 공부를 해.

③ 나는 수요일에 통합 공부를 해.

④ 나는 금요일에 국어 공부를 해.

Track 145

하미: ① 월요일에 국어 공부를 해요

② 화요일에 수학 공부를 해요.

③ 수요일에 창체 공부를 해요.

④ 목요일에 통합 교과 공부를 해요.

⑤ 금요일에 국어 공부를 해요.

3. 일주일 생활

Track 147

아이다: 지민아, 너 로봇 방과 후 수업 해?

지민: 응, 월요일하고 수요일에 해.

아이다: 바이올린 수업도 해?

지민: 나 바이올린 방과 후 수업은 안 해.

4. 날짜

Track 148

① 박혜연 선생님 생일은 2월 10일이에요.

② 장위 생일은 5월 9일에요.

③ 유키 생일은 7월 27일이에요.

④ 김세현 선생님 생일은 10월 10일이에요.

6. 생일 알아보기

Track 150

① 다니엘: 성우야, 너 생일이 몇 월 며칠이야?

성우: 내 생일은 1월 30일이야.

② 아이다: 지민아, 너 생일이 몇 월 며칠이야?

지민: 내 생일은 11월 4일이야.

③ 지민: 요우타야, 너 생일이 몇 월 며칠이야?

요우타: 내 생일은 6월 15일이야.

④ 성우: 아이다야, 생일이 몇 월 며칠이야?

아이다: 내 생일은 9월 29일이야.

7. 다섯 고개 놀이 하기

Track 151

① 하나. 내 생일은 6월 29일이야.

둘. 나는 토요일에 할머니 집에 가.

셋. 나는 목요일에 로봇 방과 후를 해.

넷. 나는 점심에 축구를 해.

다섯. 나는 아침에 도서관에 가.

② 하나. 내 생일은 4월 23일이야.

둘. 나는 화요일하고 금요일에 바이올린
방과 후를 해.

셋. 나는 수요일에 바이올린을 안 해.

넷. 나는 아침에 책을 읽어.

다섯. 나는 7시에 저녁 식사를 해.

7단원 · 놀이터에서 자전거 탔어

1. 시간 표현 2

Track 154

① 오늘은 5월 10일이에요.

② 어제는 5월 9일이에요.

③ 내일은 5월 11일이에요.

Track 155

① 지난주예요.

② 지난달이에요.

③ 작년이에요.

Track 156

① 달력을 보세요. 오늘은 2019년 10월 17일이
에요. 오늘에 빨간 연필로 동그라미하세요.

② 어제에 초록 연필로 동그라미하세요.

③ 지난주에 파란 연필로 동그라미하세요.

④ 지난달에 노란 연필로 동그라미하세요.

⑤ 작년에 검은 연필로 동그라미하세요.

2. 놀이 장소

Track 158

① 오늘 박물관에 가요. 어제 동물원에 갔어요.

② 오늘 빵을 먹어요. 어제 김밥을 먹었어요.

③ 오늘 친구하고 이야기해요. 어제 친구하고

운동했어요.

Track 159

① 동물원에서 호랑이를 봤어요.

② 놀이공원에서 빵을 먹었어요.

③ 박물관에서 숙제했어요.

3. 놀이와 운동 1

Track 163

① 성우는 그네를 탈 수 있어요.

② 아비가일은 줄넘기를 할 수 없어요.

Track 164

① 하미 아빠: 저밍아, 자전거 탈 수 있어?

저밍: 네, 자전거 탈 수 있어요.

② 하미 아빠: 아이다야, 미끄럼틀 탈 수 있어?

아이다: 아니요, 미끄럼틀 탈 수 없어요.

③ 하미 아빠: 요우타야, 시소 탈 수 있어?

요우타: 아니요, 탈 수 없어요.

④ 하미 아빠: 리암아, 훌라후프할 수 있어?

리암: 네, 할 수 있어요.

4. 놀이와 운동 2

Track 166

① 노래해요.

② 수영해요.

③ 태권도 해요.

④ 피아노 쳐요.

⑤ 컴퓨터 해요.

⑥ 그림 그려요.

Track 167

① 리암이 피아노를 못 쳐요.

② 요우타가 수영을 못해요.

5. 할 수 있는 일

Track 170

① 저밍: 어제 아침에 뭐 했어?

아비가일: 동생이랑 놀이터에서 훌라후프 했어.

② 저밍: 어제 오후에 뭐 했어?

리암: 아빠하고 동물원에서 호랑이 봤어.

Track 171

지민: 저밍아, 너 코끼리 그릴 수 있어?

저밍: 어, 나 그림 잘 그려. 방과 후 수업에서 배웠어.

지민: 그럼 기린도 그릴 수 있어?

저밍: 아니, 나 기린은 못 그려.

9. 놀이하기

Track 174

"넌 할 수 있어."라고 말해 주세요.

그럼 우리는 무엇이든 할 수 있지요.

짜증 나고 힘든 일도 신나게 할 수 있는

꿈이 크고 마음이 자라는 따뜻한 말 넌 할 수 있어.

8단원 · 음식을 골고루 먹겠습니다

1. 음식

Track 177

① 과일 먹고 싶어요.

② 야채 먹고 싶어요.

③ 요구르트 마시고 싶어요.

Track 178

① 하미: 성우야, 뭐 먹고 싶어?

성우: 과자 먹고 싶어.

② 하미: 지민아, 뭐 먹고 싶어?

지민: 나 야채 먹고 싶어.

③ 하미: 요우타야, 뭐 마시고 싶어?

요우타: 주스 마시고 싶어.

④ 하미: 리암아, 뭐 먹고 싶어?

리암: 고기 먹고 싶어.

2. 급식

Track 180

① 저밍이 급식을 다 먹었어요.

② 요우타가 밥을 남겼어요.

③ 아이다가 국을 남겼어요.

④ 하미가 반찬을 다 먹었어요.

Track 181

① 요우타야, 밥을 다 먹어.

② 아이다야, 국을 다 먹어.

3. 하루 생활 1

Track 185

① 일찍 일어나!

② 음식을 골고루 먹어!

③ 늦게 자지 마!

Track 186

① 요우타: 엄마, 텔레비전 보고 싶어요.

엄마: 지금 몇 시야?

요우타: 아홉 시요.

엄마: 아홉 시? 텔레비전 보지 마. 일찍 자.

② 아빠: 지민아, 야채 왜 안 먹어?

지민: 저 야채 싫어요.

아빠: 음식을 골고루 먹어. 남기지 마.

지민: 안 먹고 싶어요.

4. 하루 생활 2

Track 188

① 이를 닦아요.

② 손을 씻어요.

③ 발을 씻어요.

④ 머리를 감아요.

⑤ 세수해요.

⑥ 샤워해요.

Track 189

① 빈센트가 이를 닦습니다.

② 아비가일이 발을 씻습니다.

③ 저밍이 세수합니다.

머리 빗고 옷을 입고
거울을 봅니다.

5. 계획

Track 192

① 하미: 저는 숙제 먼저 하겠습니다.

② 요우타: 저는 손을 잘 씻겠습니다.

Track 193

박혜연 선생님: 누가 발표하겠습니까?

학생들: 저요! 저요!

박혜연 선생님: 네, 아비가일! 발표하세요.

아비가일: 저는 우유를 잘 안 마십니다. 앞으
로는 잘 마시겠습니다.

9. 놀이하기

Track 196

둥근 해가 떴습니다.
자리에서 일어나서
제일 먼저 이를 닦자.
윗니 아래 이 닦자.

세수할 때는 깨끗이
이쪽저쪽 꼭 닦고

정답

1단원 · 저는 아비가일이에요

1. 이름

2. 1) ② ☑ 저밍이에요.
    ③ ☑ 하미예요.
    ④ ☑ 아이다예요.
  2)

②   ③   ④

2. 나라 이름 1

2. 1) ② 일본
    ③ 필리핀
    ④ 중국
    ⑤ 키르기스스탄
    ⑥ 캄보디아
3. 1) ☑ 중국

3. 나라 이름 2

2. 1)

| ① 자르갈이에요. | ↘↗ | 태국에서 왔어요. |
| ② 촘푸예요. | ↗↘ | 몽골에서 왔어요. |

  2) ② 나

4. 숫자 1

1.

2. 1) ① 1-1
    ② 2-3
    ③ 3-2
    ④ 4-1
    ⑤ 5-2
    ⑥ 6-4
  2) ② ☑ 2학년 1반
3. ☑ 2학년 2반

5. 우리 반

1. 2)

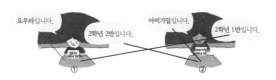

2. 1) ② ☑ 저는 저밍입니다.
  2) ②

8. 이야기 읽기

1. 1) 요우타: 일본, 아이다: 키르기스스탄,
    저밍: 중국

10. 생각 넓히기

2.

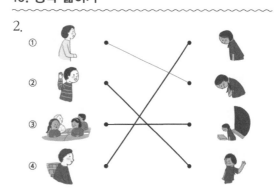

2단원 · 이건 뭐예요?

1. 교실 물건

2. 1)

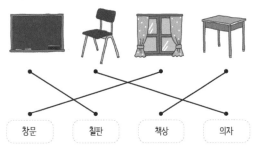

| 창문 | 칠판 | 책상 | 의자 |

2) ② ☑ 책이에요.
　 ③ ☑ 공책이에요.

2. 학용품

2. 1) ② 연필
　　 ③ 필통
　　 ④ 지우개
　　 ⑤ 스케치북
　　 ⑥ 크레파스

2)

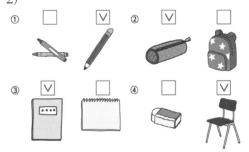

3. 1) 책 → 지우개, 지우개 → 연필,
　　 크레파스 → 공책, 책상 → 의자
　 2) 이건 지우개예요.
　　 이건 연필이에요.
　　 이건 공책이에요.
　　 이건 의자예요.

3. 이것, 그것, 저것

2. 1) ② 그것은 지민이 지우개예요.
　　 ③ 그것은 아비가일 공책이에요.

④ 그것은 저밍 크레파스예요.
⑤ 그것은 요우타 가방이에요.
⑥ 그것은 아이다 스케치북이에요.

　2)

4. 숫자 2

2. 1)

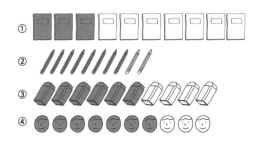

　2) ② 다섯 권
　　 ③ 한 개
　　 ④ 두 권
　　 ⑤ 여덟 개
　　 ⑥ 네 명

3. 2) 책 두 권, 연필 세 자루, 지우개 한 개,
　　 공책 다섯 권

5. 물건 주인

2. 2) ② 이건 지우개가 아니에요.
　　 필통이에요
　　 ③ 이건 창문이 아니에요.
　　 칠판이에요.
　　 ④ 이건 의자가 아니에요.
　　 책상이에요.

6. 물건 이름 말하기

2. 1)

공	장	지	우	개	이
책	상	스	케	치	북
고	크	레	파	스	키
의	다	소	연	필	오
자	송	책	종	칠	통
강	아	콩	라	판	도

2) ① 공책 ② 책상 ③ 지우개 ④ 스케치북
⑤ 크레파스 ⑥ 의자 ⑦ 연필 ⑧ 필통
⑨ 칠판

8. 알림장 쓰기

1. 2) ◯, ✕

2. 1) 연필 세 자루, 공책 두 권, 스케치북 한 권

10. 생각 넓히기

2. ① 색종이를 받아요.
② 한 손으로 색종이를 받아요.
③ 선생님이 불렀어요.
④ 두 손으로 받아요.

3단원 · 음악실은 어디에 있어요?

1. 있어요, 없어요

2. 1) ② 네, 있어요.
③ 아니요, 없어요.
④ 아니요, 없어요.
2) ② 네, 있어요.
③ 아니요, 없어요.
④ 네, 있어요.

2. 위치

2. 1) ② 옆 ③ 안 ④ 뒤

---

2) ②✕ ③✕ ④◯

3. 교실 이름

2. 1)

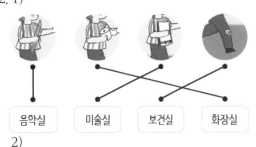

4. 교실 위치

2. 1) 도, 은, 도

3. 1) 리암 집도 1층에 있어요.
요우타 집은 2층에 있어요.
하미 집도 2층에 있어요.
저밍 집은 3층에 있어요.
지민이 집도 3층에 있어요

5. 동작을 나타내는 말1

2. 2) ② ✓ 아비가일은 숙제해요.
③ ✓ 지민이는 청소해요.
④ ✓ 성우는 놀아요.

7. 위치 찾기

1. 1) ② 교실
③ 음악실
④ 미술실
⑤ 교무실
⑥ 화장실

8.일기 읽기

1. 2)

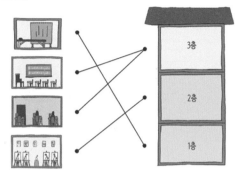

2. 2) ① 책상이 있어요. 침대도 있어요.
   ② 책상 위에 있어요.
   ③ 책상 아래에 있어요.

4단원 · 서점에 가요

1. 가게

2.

3. 1) ② 아이다가 서점에 가요.
   ③ 아이다가 꽃집에 가요.
   ④ 아이다가 집에 와요.

2. 동작을 나타내는 말 2

1. ② 방울 ③ 꽃을 ④ 우유를 ⑥ 책을
3. 2) 성우는 케이크를 먹어요.
   지민이는 우유를 마셔요.

3. 우리 집 앞

2. 1)

2)

3. ② 문구점에 어떻게 가요?
   육교를 건너세요.
   ③ 슈퍼마켓에 어떻게 가요?
   지하도를 건너세요.
   ④ 빵집에 어떻게 가요?
   횡단보도를 건너세요.

4. 색깔

2.

3. 2) ② 아니요 ③ 네

5. 교통 신호

2. 1)

| ① ☑ □ | ② □ ☑ |
| ③ ☑ □ | ④ □ ☑ |

2) ② 먹지 마세요.
   ③ 마시지 마세요.
   ④ 사지 마세요.

6. 우리 동네 설명하기

1. 1) 문구점: 공책, 연필, 지우개, 필통 등
   슈퍼마켓: 주스, 우유 등
   빵집: 빵, 케이크 등

2. 1)

7. 색칠하기

1. 2) 빨간색, 노란색, 초록색, 파란색
   우산

2. 1)

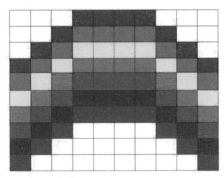

   2) 무지개

8. 이야기 읽기

1. 슈퍼마켓이 있어요.
   슈퍼마켓 앞에 있어요.
   우유를 사요, 과자도 사요.

9. 노래하기

1. 초록불에 건너요.
   손을 들고 건너요.

10. 생각 넓히기

2.

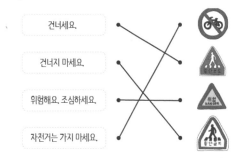

> **5단원 · 도서관에서 책을 읽어요**

1. 수업 시간

2. 1) ② 말해 ③ 접어 ④ 가
   2)

2. 학교 소개

2.

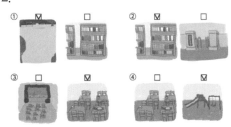

3. 1) 민수에게 소개해요.
   운동장이 있어요, 놀이터도 있어요, 도서
   관도 있어요.

3. 방향

2. 1) ② ✓ 이쪽
   ③ ✓ 위층
   2) ② 왼쪽으로 가세요.
   ③ 저쪽으로 가세요.
   ④ 2층으로 가세요.

4. 쉬는 시간

2. 1)

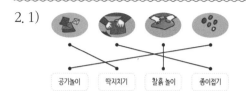

2) ② 하미가 도서관에서 책을 읽어요.

③ 아이다가 놀이터에서 공기놀이를 해요.

④ 요우타가 교실에서 숙제를 해요.

3. 1) → 식당에서 밥을 먹어요.

→ 도서관에서 책을 읽어요.

→ 놀이터에서 놀아요.(운동장에서 놀아요.)

5. 학교에서 하는 일

2. 1) ② 숙제를 해요. 공부를 해요.

③ 공놀이를 해요. 놀아요.

④ 달리기를 해요. 공놀이를 해요.

2) ② 공부하러 가.

③ 공놀이를 하러 가.

④ 달리기를 하러 가.

6. 학교 생활 말하기

1. 1)

운	급	우	의	실	점
수	관	놀	약	서	이
국	실	우	술	터	문
동	건	장	강	식	집
보	음	실	편	악	무
시작 →	당	교	미	도	터

2) 음악실, 운동장, 놀이터, 도서관

7. 편지 읽고 쓰기

1. 2) 나래, 책, 읽어요, 달리기, 해요, 공부해요

8. 동화 읽기

2. 너희를 먹으러 왔어, 놀러 왔어, 배가 고파서

왔어 등 자유롭게 이야기하기

9. 숨은 글자 찾기

2. 1)

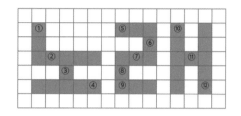

2) 노래

6단원 · 오늘 뭐 해요?

1. 시간 표현 1

2. 1)

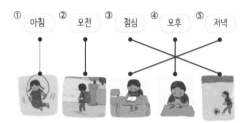

2)

① 오전	② 오후	③ 아침	④ 점심	⑤ 저녁
(○)	(X)	(X)	(○)	(○)

2. 시간표

2. 1)

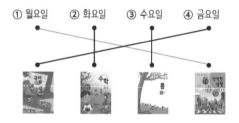

2)

시간 \ 요일	월요일	화요일	③ 수요일	목요일	금요일
1교시	① 국어	② 수학	창체	④ 통합	⑤ 국어

3. 일주일 생활

2. 1)

□ 저밍이 월요일하고 금요일에 체육관에 가요.

☑ 저밍이 목요일에 로봇 방과 후를 안 해요.

2)

월요일	화요일	수요일	목요일	금요일	토요일	일요일
로봇 방과 후	도서관	바이올린 방과 후	로봇 방과 후	체육관	할머니 집	

(수요일·목요일 칸에 X 표시)

4. 날짜

2. 2)

① 박혜연 선생님 생일

2 월 10 일

② 장위 생일

5 월 9 일

③ 유키 생일

7 월 27 일

④ 김세현 선생님 생일

10 월 10 일

6. 생일 알아보기

1. 2)

① 성우 생일	1 월 30 일	② 지민 생일	11 월 4 일
③ 요우타 생일	6 월 15 일	④ 아이다 생일	9 월 29 일

7. 다섯 고개 놀이 하기

1. ① 성우

② 아비가일

2. ① 지민

② 저밍

8. 생활 계획표 만들기

1.

10. 생각 넓히기

7단원 · 놀이터에서 자전거 탔어

1. 시간 표현 2

1. 2) ② 어제

③ 내일

2. 1) ② ☑ 지난달

③ ☑ 작년

2)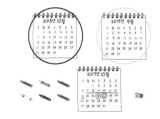

2. 놀이 장소

2. 1) ② 오늘 빵을 먹어요. 어제 김밥을 먹었어요.

③ 오늘 친구하고 이야기해요. 어제 친구하고 운동했어요.

2)

① 동물원에서	빵을 먹었어요.
② 놀이공원에서	호랑이를 봤어요.
③ 박물관에서	숙제했어요.

3. 1) 코끼리, 호랑이

3. 놀이와 운동 1

2. 1) ② ☑ 아비가일은 줄넘기를 할 수 없어요.

2) ② ○ ③ X ④ ○

4. 놀이와 운동 2

2. 2)

3. 하미

5. 할 수 있는 일

2. 1) ② 호랑이

2) 기린

8. 이야기 읽기

1. 1) ☑ 놀았어요.

2. 3, 4, 2

9. 놀이하기

1.

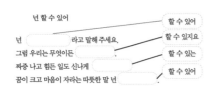

10. 생각 넓히기

2. ④

8단원 · 음식을 골고루 먹겠습니다

1. 음식

2. 1) ② ☑ 야채 먹고 싶어요.

③ ☑ 요구르트 마시고 싶어요.

2) ① 과자

② 야채

③ 주스

④ 고기

2. 급식

2. 1)

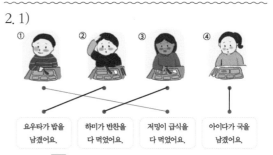

2) ② ☑ 아이다야, 국을 다 먹어.

3. 1) 고기

3. 하루 생활 1

2. 1) ② 음식을 골고루 먹어!

③ 늦게 자지 마!

2) ② 가

4. 하루 생활 2

2. 2)

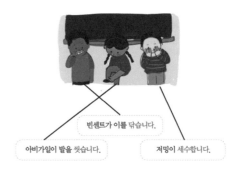

3. 1) 동생

5. 계획

1. 2)

2. 1) 아비가일

문법 색인

어휘 색인

담당 연구원 ──

정혜선 국립국어원 학예연구사
박지수 국립국어원 연구원

집필진 ──

책임 집필
이병규 서울교육대학교 국어교육과 교수

공동 집필
박지순 연세대학교 글로벌인재학부 교수
손희연 서울교육대학교 국어교육과 교수
안찬원 서울창도초등학교 교사
오경숙 서강대학교 전인교육원 교수
이효정 국민대학교 교양대학 교수
김세현 서울명신초등학교 교사
김정은 서울가원초등학교 교사
박유현 연세대학교 언어연구교육원 한국어학당 강사

박창균 대구교육대학교 국어교육과 교수
박혜연 서울교대부설초등학교 교사
박효훈 서울원명초등학교 교사
신윤정 서울도림초등학교 교사
이은경 세종사이버대학교 한국어학과 교수
이현진 서울천일초등학교 교사
최근애 서울사근초등학교 교사
강수연 서울선곡초등학교 다문화언어 교원

초등학생을 위한
표준 한국어
의사소통 1·저학년

ⓒ 국립국어원 기획 | 이병규 외 집필

초판 1쇄 | 2019년 2월 28일
초판 10쇄 | 2024년 9월 25일

기획 | 국립국어원
지은이 | 이병규 외
발행인 | 정은영
책임 편집 | 한미경
디자인 | 표지디자인붐, 본문디자인붐, 박현정, 윤혜민
일러스트 | 우민혜, 민효인, 김채원
사진 제공 | 셔터스톡, 서대문자연사박물관
음악 이용 허락 | KOMCA 승인 필

펴낸곳 | 마리북스
출판 등록 | 제2019-000292호
주소 | (04037) 서울시 마포구 양화로 59 화승리버스텔 503호

전화 | 02)336-0729, 0730
팩스 | 070)7610-2870
이메일 | mari@maribooks.com
인쇄 | (주)금명문화

ISBN 978-89-94011-92-9   (64710)
     978-89-94011-91-2   (64710) set

단원(83쪽)

2단원(107쪽)

필통　　　지우개　　　연필

공책　　　의자

단원(127쪽)

7단원(233쪽)

단원(134쪽)

자요　　　숙제해요　　　이야기해요

청소해요　　　놀아요

3단원(139쪽)

단원(152쪽)

6단원(210쪽)

원(216쪽)

빵을 먹어요.

구하고 이야기해요.

김밥을 먹었어요.

구하고 운동했어요.

8단원(237쪽)

한글 자모 카드

ㄱ	ㄴ	ㄷ	ㄹ	ㅁ	ㅂ	ㅅ
ㅇ	ㅈ	ㅊ	ㅋ	ㅌ	ㅍ	ㅎ
ㄲ	ㄸ	ㅃ	ㅆ	ㅉ		
ㅏ	ㅑ	ㅓ	ㅕ	ㅗ	ㅛ	ㅜ
ㅠ	ㅡ	ㅣ				
ㅁ	ㅇ	ㄴ	ㄹ	ㅂ	ㅍ	ㄱ(ㄱ,ㄲ)

모음 막대

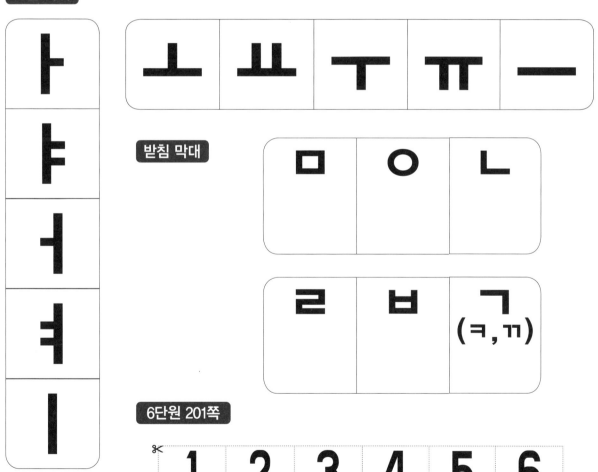

받침 막대

6단원 201쪽

1단원 95쪽

3단원 137쪽

6단원

6단원 199쪽

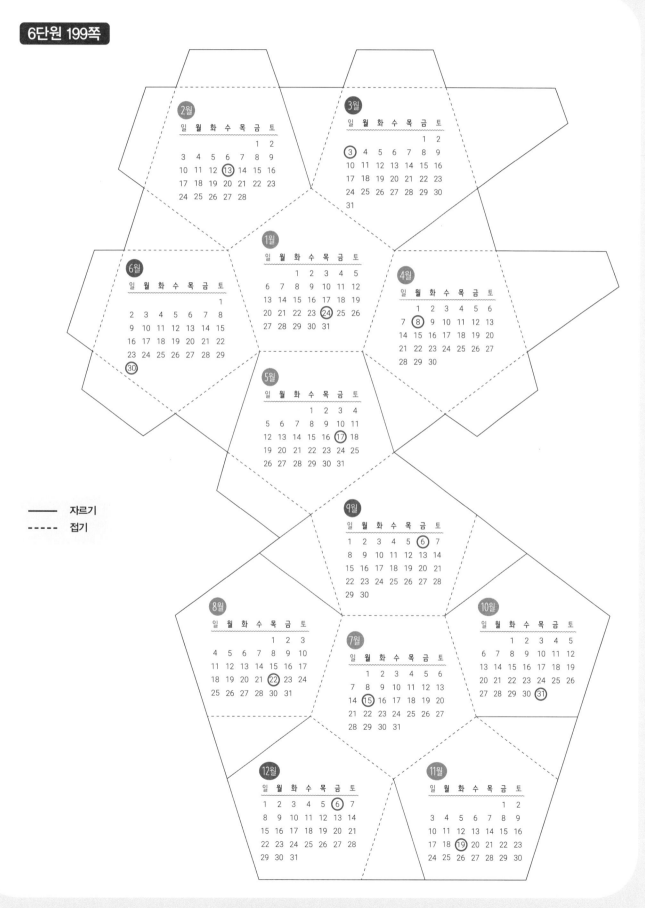

자르기 (실선)
접기 (점선)